Mady

Cauchemars à quatre pattes!

Véronique Dubois

Catalogage avant publication de Bibliothèque et Archives nationales du Québec et Bibliothèque et Archives Canada

Dubois, Véronique, 1976-

Mady

Sommaire: t. 1. Trop malade, ma vie -- t. 2. Le camp Bear Town -- t. 3. Cauchemars à quatre pattes !.

Pour les jeunes de 10 ans et plus.

ISBN 978-2-89595-490-3 (v. 1)
ISBN 978-2-89595-491-0 (v. 1)
ISBN 978-2-89595-492-7 (v. 2)
ISBN 978-2-89595-493-4 (v. 3)

I. Wilkins, Sophie. II. Titre. III. Titre: Trop malade, ma vie. IV. Titre: Le camp Bear Town. V. Titre: Cauchemars à quatre pattes !.

PS8607.U219M32 2010 jC843'.6 C2010-941166-8
PS9607.U219M32 2010

Auteure : Véronique Dubois
Révision : Sophie Ginoux et Sylvie Tremblay
Correction : Sophie Ginoux et Sarah Bigourdan
Illustration de la couverture : Sophie Wilkins
Graphisme : Julie Deschênes et Mika

Dépôt légal — Bibliothèque et Archives nationales du Québec, 2e trimestre 2010

ISBN 978-2-89595-493-4

Gouvernement du Québec — Programme de crédit d'impôt pour l'édition de livres — Gestion SODEC

Boomerang éditeur jeunesse remercie la SODEC pour l'aide accordée à son programme éditorial.

Nous reconnaissons l'aide financière du gouvernement du Canada par l'entremise du Programme d'aide au développement de l'industrie de l'édition (PADIÉ) pour nos activités d'édition.

Imprimé au Canada

ASSOCIATION NATIONALE DES ÉDITEURS DE LIVRES

Merci à ma famille, mes enfants, mon conjoint, mais aussi un grand merci à une personne bien spéciale pour moi, Hélène F. Courtemanche, qui m'encourage et m'aide au quotidien. Je t'aime beaucoup !

Véronique xxx

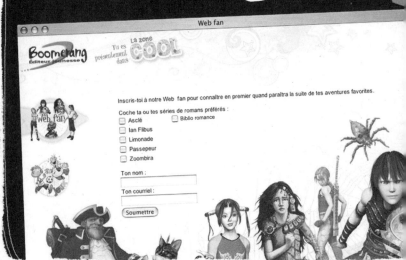

Table des matières

17 août
De retour à la maison... et aux problèmes

Il ne me restait plus que deux semaines avant le début des classes. J'étais satisfait depuis mon retour du camp de vacances, tout s'était passé en douceur chez ma mère. On avait en effet décidé que je passerais une semaine à la maison et la dernière chez mon père et Julie... que je surnomme maintenant « l'hippopotame » sur deux pattes !

Mais bon, elle est devenue tellement grosse, c'est normal. Non mais c'est incroyable, vraiment... et dire qu'il se cache dans ce ventre deux petites filles... ou plutôt deux monstres à batterie... Ahhhh ! Y'a de quoi devenir dingue, quand j'y pense !

J'avais donc choisi d'être un peu tranquille avant de retourner chez papa, histoire de ne pas stresser en ayant Julie tout le temps sous les yeux. J'avais besoin d'assimiler les choses qui s'étaient passées au camp et surtout de réfléchir.

J'étais tranquillement devant mon bureau en train de lire les dix mille courriels que j'avais reçus pendant mon absence quand un bruit m'a fait sursauter.

— Coucou !

Ma mère frappait doucement à la porte de ma chambre, deux lettres à la main.

— Est-ce que je peux entrer ?

Je me suis tourné vers elle.

— Ben, certain !

J'avais beau avoir maintenant treize ans, je m'étais quand même ennuyé de ma mère pendant ces six semaines. Ça faisait du bien de l'avoir près de moi. Elle a pris place sur le lit et a allongé ses jambes en soupirant. Je me suis assis à côté d'elle.

— Ouf ! Je suis montée ici parce que je voulais te dire que ton père et moi avions reçu une lettre de la part de ton moniteur…

Mon sang a fait trois tours. Je n'avais rien raconté au sujet de l'attaque de l'ours, car mes parents étaient très protecteurs et que j'avais peur qu'ils ne comprennent pas que ce n'était qu'un accident. Je ne voulais surtout pas qu'ils causent des problèmes au camp.

— Tu viens de la recevoir ?

Elle a fait son petit sourire en coin de maman qui sait tout. Maudit que c'est fatigant, ça !

— Ça fait longtemps que ton père et moi, on est au courant. Ton moniteur nous a écrit dès que c'est arrivé pour s'excuser et tout nous expliquer. Il nous a aussi téléphoné pour nous raconter que tu avais fait preuve d'un courage extraordinaire ! Alors, pourquoi ne nous as-tu rien dit au restaurant ? On attendait que tu nous en parles, justement ! Ton père et moi, on s'était entendus sur le fait qu'on ne dirait rien avant que toi, tu en discutes... mais là, j'ai bien failli me mordre la langue une douzaine de fois depuis !

J'ai froncé les sourcils.

— Je voulais pas que papa capote, c'est tout ! Et aussi... je voulais garder ça pour moi... J'sais pas trop pourquoi...

— Ah, pour capoter, ton père a capoté, c'est sûr ! Mais pas comme tu as l'air de le penser, mon garçon !

Je l'ai regardée, intrigué.

— Qu'est-ce que tu veux dire ?

— Quand ton père a su toute cette histoire, il s'est empressé de la raconter à tout le monde et même à ses clients du cabinet de dentiste !

— Quoi ?

Ma mère a éclaté de rire.

— Tu connais ton père ! Il est tellement fier de toi que c'en est épouvantable !

C'était à mon tour d'avoir un petit sourire en coin. Pour une fois, j'avais réussi à attirer l'attention de mon père.

— J'espère que je n'aurai pas à me battre avec un ours chaque fois que j'vais vouloir qu'il me remarque, hein ?

Ma mère m'a ébouriffé les cheveux.

— J'en doute, mon cœur. Mais bref ! Tu m'as beaucoup impressionnée !

J'ai serré l'amulette de Cerf argenté, mon moniteur du camp, entre mes mains sans rien dire. Il me manquait déjà. Je n'avais pas envie de raconter à ma mère tout ce qu'il m'avait dit ni de lui montrer le livre qu'il m'avait donné. Toute cette aventure m'appartenait et je voulais la garder pour moi. Ma mère m'a regardé longuement en silence, puis m'a serré dans ses bras.

— Ça m'a fait réaliser combien tu es précieux pour moi, mon chéri...

J'étais un peu mal à l'aise et ne savais pas quoi dire.

— Moi aussi, je t'aime beaucoup, maman…

Elle a commencé à renifler quelque part dans mes cheveux. Oups, c'était mauvais signe. Elle ne pleurait pas juste pour moi, c'était sûr. Il devait y avoir autre chose.

— Mathieu et moi, c'est bien fini…

Elle était triste de me dire ça. Ça se voyait bien, que ce n'était pas son choix.

— Mais… pourquoi ? J'veux dire, vous vous entendiez bien, non ?

Elle s'est essuyé les yeux légèrement, gênée de s'être laissée aller.

— Son ex-femme est revenue…

En entendant ça, je pense que si j'avais été un *cartoon*, mes cheveux seraient tous tombés en même temps par terre.

— Tu me niaises, là !

Ma mère a secoué la tête pour me faire comprendre que non.

— Tu veux dire que lorsque Emma est retournée chez elle, sa mère archéologue était là ?

— J'imagine.

— Mais… elle était partie depuis tellement longtemps, et…

Ma mère m'a coupé la parole :

— Je sais... Je vais prendre un peu de temps pour avaler tout ça...

Je regardais ma mère et je me disais que, pour une fois, on était sur la même longueur d'ondes, elle et moi.

— T'as raison, maman. Prends ton temps.

Je lui ai fait un gros câlin, puis elle m'a tendu la deuxième lettre qui pendait au bout de ses doigts.

— C'est quoi ?

— Je ne sais pas. C'est une lettre de l'école et je ne l'ai pas ouverte. Regarde, elle est adressée à ton nom !

J'ai ouvert l'enveloppe et déplié la lettre. Après un peu de lecture, je me suis rendu compte qu'il s'agissait des choix d'options scolaires. J'allais bientôt commencer mon secondaire deux.

— Hum... les options... va falloir que j'y pense...

Ma mère m'a tapé sur la cuisse pour me faire comprendre que la conversation était finie. Elle s'est levée et est allée vers la porte de ma chambre.

— Je suis contente que tu sois revenu et de t'avoir avec moi cette semaine, tu sais.

Je lui ai souri tendrement.

— Moi aussi, maman...

— En passant, tu devrais venir déjeuner!

— Ouais... j'arrive.

Elle est sortie de la pièce, pendant que mes yeux se fixaient à nouveau sur la lettre de l'école.

À la rescousse d'Emma!

Je n'ai pas eu trop le temps de rêvasser à mes activités scolaires parce que le téléphone a tout de suite retenti dans la maison. Ma mère a crié d'en bas:

— C'est pour toi!

Je me suis étiré pour atteindre mon téléphone banane.

— Allo?

La petite voix d'Emma s'est fait entendre.

— Salut, c'est moi! T'es libre?

— Ben oui... je «vachais» sur mon lit.

Je n'avais pas trop envie de sauter à pieds joints sur le bobo, c'est-à-dire sa mère. C'était à peu près certain qu'Emma m'appelait pour ça.

Je ne voulais pas lui dire que j'étais déjà au courant, mais elle devait quand même s'en douter.

— Euh… veux-tu me rejoindre au parc ? Il faut absolument que je te parle !

J'étais d'accord. Je réussirais peut-être à en savoir plus, même si ça faisait quelque part mon affaire de ne plus être le pseudo demi-frère de ma meilleure amie et ex-blonde.

— Ok ! En passant, amène Puddy, hein ?

— Tiguidou ! Dans cinq minutes, j'suis là !

— À tantôt !

J'ai dévalé les escaliers plus vite que mon ombre. Ma mère m'a regardé passer avec un drôle d'air.

— Tu sors ? T'as même pas pris quelque chose à manger…

J'ai empoigné ma toute nouvelle planche à roulettes dans l'entrée. Eh oui, mes parents me l'avaient offerte il y a un bon bout, pour mon douzième anniversaire. Elle est exactement comme je la voulais, avec des dessins de mangas dessus et des roues orange fluo. Sauf que je ne l'ai pas vraiment utilisée et que je la prends donc rarement avec moi.

Je me suis assis à côté d'elle sur une autre balançoire.

— Ça, j'le savais, oui.

Elle m'a fixé avec un air sévère.

— Ben ! Pourquoi tu me demandes ce qu'il y a, d'abord ?

J'étais de plus en plus fâché. Je trouvais qu'elle avait le ton de la fille au-dessus de ses affaires, et ça me dérangeait un peu.

— Tu fais ben ta fraîche !

Elle a alors éclaté en sanglots, les deux mains dans la face. Ouais... Je n'avais vraiment pas le tour avec les filles ! Je ne comprenais jamais rien !

— Je... je suis pas fraîche ! Snif ! Je suis stressée, c'est différent ! J'sais pas quoi faire... J'pensais que tu pouvais m'aider, toi ! J'me suis trompée ! Snif !

Elle s'est levée et a fait mine de partir. Je l'ai retenue par le bras.

— Excuse-moi, Emma... Reviens t'asseoir, s'te plaît.

Elle a hésité un moment, puis s'est rassise sur la balançoire.

— J'me demande ce que j'ai bien pu faire pour mériter une mère comme ça... Elle revient après presque deux ans d'absence ! Et hop ! Elle nous demande de faire comme si elle n'était jamais partie, et papa la reprend comme si c'était normal !

J'avais l'impression de revoir mon père, qui avait fait comme si de rien n'était alors qu'il avait révolutionné ma vie.

— Tu sais, les parents... sont durs à suivre, Emma... tu devrais le savoir.

— Snif !

Je lui ai tendu un mouchoir en papier. Elle avait de la chance que j'en aie un dans mes poches. Elle avait « la guédine au nez », comme l'aurait dit ma grand-mère Thérèse.

— Merci.

— T'en fais pas, Emma...

Elle s'est essuyé les yeux.

— Facile à dire...

Facile à dire, oui... mais qu'est-ce qu'elle pouvait bien faire ? C'était sa mère, après tout.

— Mais quand même... ta mère te manquait, non ? Y'a pas une partie de toi qui est contente ?

Elle a hoché la tête.

— Oui... Enfin, ah ! J'sais plus...

Voilà, c'était exactement comme mon père me le disait. Les filles étaient souvent mêlées et ne savaient pas toujours ce qu'elles voulaient. Ma mère disait que c'était macho de penser comme ça. Mais moi, je trouvais que ça avait pas mal de bon sens. Aussi, son enseignement à propos des filles semblait de plus en plus juste au fur et à mesure que j'apprenais à les connaître.

— Ok, ben... peut-être que tu pourrais lui donner une chance, non ?

— Ouais... Le seul point positif, c'est qu'on n'est plus demi-frère et sœur !

J'étais pas mal d'accord.

— Ouf ! Oui ! Ça va être ben mieux comme ça ! J'arrivais pas à m'habituer, j'trouvais ça pas mal bizarre.

— Moi aussi.

Elle s'est balancée un peu sans dire un mot, puis a stoppé net.

— J'ai chaud... On va se baigner ? J'suis tannée de me plaindre. Après tout, pourquoi je le ferais ? Je la laisserai pas gâcher ma journée !

J'étais encore une fois du même avis.

— C'est comme tu veux ! On en reparlera plus tard, alors.

Une saucette mouvementée!

Je ne savais pas que la sœur de Stéphanie était sauveteuse à la piscine municipale, et je l'ai appris bien malgré moi. Stéphanie était là comme la sangsue à ne pas croiser dans une marre pleine de monde. Elle nous a malheureusement repérés tout de suite. J'étais désespéré. J'avais encore envie de l'appeler Mouffette, tellement je trouvais que ce nom totem lui collait à la peau. Elle est arrivée en sautillant.

— Mady, salut ! Youpi ! J'pensais pas te revoir si vite ! J'suis ben contente !

Emma a eu un petit sourire. Je l'ai dévisagée avec un regard qui en disait long avant de répondre :

— Ben oui… il fait chaud, hein ?

— Ah, oui, alors ! Ça va être le fun d'être dans l'eau ! J'suis tout excitée !

J'avais juste envie de lui mettre une chaudière d'eau bien frette sur la tête, histoire de lui refroidir les idées. Emma devait lire dans mes pensées, parce qu'elle a failli avoir un fou rire.

— J'vais aller mettre mon costume de bain dans la cabine, si ça vous dérange pas.

J'ai tout de suite établi une petite distance avec les deux filles, qui me suivaient. Stéphanie occupait très bien Emma pour l'instant. J'ai regardé le monde dans la piscine. Il n'y avait personne que je connaissais. Pas même un gars de ma classe. Super, j'allais passer l'avant-midi avec des filles... dont une folle, par-dessus le marché !

J'ai enfilé mon maillot plus vite que mon ombre et ai posé mes affaires dans une case. Emma est revenue de la cabine avec sur elle un superbe maillot rose fluo. Je n'ai pas pu m'empêcher de lui dire :

— Wow ! Il est beau, celui-là !

Elle a rougi instantanément devant mon compliment. Je trouvais qu'elle était vraiment belle habillée comme ça.

— Ok... euh... merci.

Gênée, elle a enroulé sa serviette sur ses hanches et a marché vers la piscine. Stéphanie est ensuite arrivée en courant. La monitrice – en fait, sa sœur – lui a sifflé dans les oreilles.

— On marche autour de la piscine, ma grande ! Combien de fois vais-je devoir te le répéter ?

Stéphanie a haussé les épaules, frustrée que ça sœur ose la reprendre devant ses amis, mais surtout devant moi.

Juste après, Emma m'a entraîné vers un endroit à l'ombre, sous un gros saule pleureur. Elle a étendu sa serviette par terre.

— J'y pense... As-tu reçu ton cadeau de fête de tes parents ?

Coudonc, que j'étais bête ! C'est vrai que j'avais fêté ma fête au camp ! Je l'avais oubliée...

— Hein ? Ben non, en fait ! Comment ça s'fait donc ? Hier soir, quand on est allés au resto, j'y ai pas pensé... mais eux autres ne m'en ont pas parlé non plus !

Emma s'est tapée dans les mains.

— C'est peut-être une énorme surprise qu'ils n'ont pas encore reçue !

J'aurais aimé que ce soit vrai... mais avec la grossesse de Julie, je pensais plutôt que mon père avait tout simplement oublié.

— Peut-être...

Stéphanie est arrivée au même moment avec sa serviette à moitié trempée qui s'égouttait sur ma cuisse.

— Hey ! Attention ! C'est frette !

— Mady, mon mignon ! Tu vas te baigner, alors c'est pas grave !

Je rêvais, ou elle venait de m'appeler « mon mignon » devant Emma ?

— Premièrement, j'suis pas ton mignon… et deuxièmement, j'irai me saucer à ma façon, quand je le voudrai !

Stéphanie a fait sa frustrée.

— Franchement ! T'es pas obligé de crier après moi de même !

— Ahhh ! Qu'est-ce que tu veux que je dise ! Tu comprends jamais rien !

C'était peut-être parce que je ne lui expliquais rien non plus, il faut l'avouer. Mais bon, j'en avais plus qu'assez de son attitude de mouche à m…, alors j'ai continué :

— J'suis tanné, Stéphanie ! J'me suis retenu depuis le début du camp qu'on vient juste de finir pour te le dire ! J't'aime pas ! J't'aime comme amie, c'est tout !

Il y a eu un silence de mort. Emma regardait ailleurs, gênée, et moi, je tremblais de rage. J'avais décidé au camp que je ne me laisserai plus marcher sur les pieds, et ça allait commencer maintenant.

Stéphanie m'a fixé comme si j'étais un extraterrestre.

— J'te reconnais plus, Mady! Franchement, tu me déçois! J't'ai toujours soutenu, pis j'ai toujours été fine avec toi! Qu'est-ce qui t'prend?

— J'en ai ma claque, Steph! Ma claque que tu sois toujours après moi, pis que je puisse pas respirer! On dirait que y'a rien que je puisse dire ou faire, t'es là pour rajouter ton grain de sel, pis te mettre en travers de mon chemin. C'est-tu assez fatigant, ça, tu crois?

Elle ne parlait plus. J'en ai profité pour finir de vider mon sac.

— J'ai envie d'avoir la paix, c'est tout! Moi pis toi... ça sera pas possible, voilà! Il va falloir que tu comprennes ça, Steph. Je veux pas te faire de peine, mais c'est dur pour moi que tu sois toujours là, à me suivre, à passer tes commentaires, à me surveiller et à me dire des p'tits mots doux. Ça fait longtemps que j'aurais dû te dire toutes ces choses-là... Fait que c'est comme ça que ça sort, désolé!

Elle a alors rouspété:

— Et tu me dis ça devant tout le monde et au bord de la piscine, en plus! Ouais... Y me reste plus rien qu'à aller me changer et à retourner chez nous ! T'es poche, Mady ! Ben ben poche !

Je suis retombé sur terre quand je l'ai vue lancer sa serviette à mes pieds et détaler en courant. J'étais monté sur mes grands chevaux comme ça faisait longtemps que ça ne m'était pas arrivé. Emma m'a tiré par le bras.

— Calme-toi un peu, Mady…

Elle était aussi surprise que moi, de toute évidence.

— Je pensais pas que tu lui dirais ses quatre vérités… J'suis impressionnée par ta franchise.

Et moi donc…

— Ça tombe bien… parce que moi aussi, j'sais pas pourquoi, mais c'était la goutte qui faisait déborder le vase à matin, sa remarque ! « Mon mignon »… franchement… Ça avait assez duré, toute cette histoire.

Emma a soupiré en regardant son petit tube de crème solaire.

— Bon… ben avec tout ça, on n'a pas encore mis de crème solaire et ton nez est presque rouge vin !

J'avais complètement oublié qu'avec la peau blanche que j'avais, il ne fallait pas trop niaiser avec ça.

— Oups ! T'as raison ! Donne-moi le tube, s'te plaît!

Après une bonne séance de crémage, je me suis retrouvé dans la piscine avec Emma, qui barbotait pas loin de moi.

— Emma ?

— Quoi ?

Elle s'est rapprochée en nageant comme un petit chien. J'étais un peu gêné de lui demander ça... mais ça me tiraillait depuis longtemps.

— Corneille moqueuse et toi.... hum... je sais que ça m'regarde pas, mais... tu vas continuer à le voir ? J'veux dire... c'est ton chum ?

Pour éviter de me regarder, elle est partie de l'autre côté de la piscine et a crié :

— Tu l'as dit, Mady... c'est pas de tes affaires !

Et zut... j'avais encore été bien stupide de m'y prendre comme ça. Mais bon, je ne pouvais pas m'empêcher de penser que maintenant que son père et ma mère, c'était fini, tout pourrait redevenir comme avant. Je savais par contre qu'elle avait encore en tête des images de moi et de Louve aventureuse, mon coup de cœur du camp. Mais même moi qui y étais, je ne savais pas exactement ce qui s'était passé là-bas, car j'étais resté un peu passif les deux fois que Louve m'avait embrassé... En fait, Emma avait toujours été dans mon cœur et maintenant, je comprenais que Louve avait peut-être été là pour que je m'en rende compte... parce qu'Emma était si belle que j'avais de la difficulté à oublier qu'elle et moi étions proches avant toute cette histoire.

— Je voulais juste... enfin, Emma... je voulais juste savoir...

— C'est correct, je comprends.

Elle s'est retournée pour regarder les autres baigneurs.

— Je sais pas moi-même, Mady... Je pense que je vais avoir besoin de temps pour digérer ce camp et tout ce qui s'est passé là-bas... pour toi et pour moi, s'entend.

— Qu'est-ce que tu veux dire ?

— Tu le sais bien.

— Non...

J'étais encore incapable de lire entre les lignes. Cerf argenté aurait dû me donner sa recette avec les filles plutôt que son livre sur les animaux totems. J'étais toujours aussi nul dès qu'il s'agissait de comprendre des filles. Et ce ne serait sûrement pas mon père qui me donnerait des cours sur le sujet.

— Ben… j'veux dire qu'il s'est passé énormément de choses, ces derniers temps. Oui, Corneille moqueuse a été un gars que j'ai ben aimé… mais est-ce que je vais le revoir ? Il habite à Québec, Mady ! Et j'te rappelle qu'on a juste treize ans ! Et qu'on vient de les avoir, en plus.

Pour moi, l'âge n'était pas vraiment important. L'important, c'étaient mes sentiments et maintenant, c'était tout ce qui comptait pour moi.

— Je sais… mais quand on aime quelqu'un… on le sait, non ?

Elle a serré les lèvres, légèrement agacée par la tournure de la conversation.

— Coudonc ! T'es ben fatigant avec ça, cet avant-midi ! Me semble qu'il y a assez de ma mère qui me bombarde de questions ! Tu pourrais te garder une petite gêne, non ?

Elle s'est ensuite retournée et comme si ça avait été arrangé avec le gars des vues, elle a reçu un ballon de plage en pleine face. Puis, il a rebondi sur moi et terminé sa course au bord de la piscine. Deux jeunes garçons se sont excusés tout de suite auprès d'Emma. Bon, mon questionnaire improvisé était bel et bien fini, maintenant. Emma était super frustrée.

— Ahhh ! Lâchez-moi, tous !

Elle s'est étirée et est sortie de la piscine.

— Emma ?

— Quoi ?

Elle était furieuse.

— T'en va pas ! Reviens dans l'eau !

— J'ai plus l'goût de me baigner ! En plus, tu m'énerves avec toutes tes questions !

J'avais réussi à la fâcher, alors que c'était le contraire de ce que je voulais.

— Excuse-moi... J'te promets que j'parle plus !

Elle a croisé les bras contre sa poitrine.

— T'es ben mieux, sinon je te laisse avec les tout p'tits dans la piscine, ok ?

Et comme elle avait le sourire fendu jusqu'aux oreilles en disant ça, je suis allé lui prendre les chevilles avec les mains.

— Descends, sinon j'te tire dans l'eau !

Dîner rapide

Après notre saucette assez rock'n'roll, Emma a proposé qu'on aille manger chez elle, histoire que je rencontre sa mère. Je me suis rendu chez Emma pour appeler la mienne, qui a un peu râlé, en me disant que je venais de revenir et que je me retrouvais déjà à table avec la source de son problème, c'est-à-dire la mère de mon amie. Elle a quand même accepté que je reste, finalement.

— Bonjour, toi !

Une grande femme blonde et mince a descendu les escaliers en nous entendant en bas. Elle était tellement fine qu'on aurait dit un chat qui descendait les marches, sans bruit et en sautillant, par-dessus le marché. Elle était superbe et avait en plus beaucoup de charme. Je savais maintenant de qui Emma tenait sa beauté.

— Bonjour, madame… euh… Je m'appelle Mady.

Je lui ai tendu la main.

— Moi, c'est Clarence ! Je suis bien contente de mettre un visage sur ce beau nom-là ! On entend beaucoup parler de toi, ici.

Le visage d'Emma a viré au rouge.

— Enfin, tout le camp nous a été raconté hier soir, et je crois que notre Emma a été très impressionnée par ton attitude face à l'ours dans les bois ! Wow ! Tu parles d'une aventure !

J'étais surpris… Tout le monde le savait, alors. Moi qui pensais que toute cette histoire resterait entre nous, je m'étais pas mal trompé. Emma n'avait pas l'air trop à l'aise avec ce que sa mère venait de dire, mais je me mettais à sa place. Elle venait en effet de revenir… et elle se permettait déjà de se mêler des histoires de sa fille ! C'était une vraie bombe à retardement.

— Oui, en effet, madame. Ça a été toute une aventure.

Emma m'a entraîné vers la cuisine.

— On est juste venus se faire des sandwichs, maman. Si ça te dérange pas, on aimerait ça, les manger dehors sur la table à pique-nique.

Clarence a paru surprise de la demande de sa fille. Elle n'avait pas l'air d'apprécier qu'Emma ait envie se retrouver seule avec moi. Elle semblait curieuse.

— Ah ! Euh… ok ! Je n'avais pas encore dîné… je pensais que j'aurais de la compagnie… mais je me suis trompée, je crois !

Emma ne la ménageait pas beaucoup.

— Ça a ben l'air !

J'étais un peu gêné parce que c'était la première rencontre que j'avais avec sa mère et pouf ! Il y avait déjà un malaise. Je regardais par terre quand Emma m'a tiré par le bras.

— Allez, viens m'aider !

Sa mère a ouvert le réfrigérateur.

— Je peux vous aider, si vous voulez…

Emma a alors froncé les sourcils. C'était plus qu'elle ne pouvait supporter.

— Ça va faire deux ans que je me débrouille toute seule quand papa n'est pas là… Je n'ai pas besoin de toi !

Les yeux de Clarence se sont écarquillés de surprise, et elle s'est tassée tout de suite de son chemin.

— D'accord, d'accord…

Elle s'est retournée et a quitté la cuisine avec autant de chic que quand elle avait descendu les escaliers… ce qui énervait Emma, je le voyais bien. On aurait dit qu'elle pouvait dire n'importe quoi à sa mère et que celle-ci allait l'avaler sans rien dire. Moi, si j'avais parlé à la mienne de cette façon devant un ami… ouf ! La punition que je me serais tapée aurait été énorme.

Enfin seuls, j'ai aidé mon amie à sortir les choses du réfrigérateur. Je n'ai pas pu m'empêcher de demander :

— Hum… tu ne crois pas que tu y es allée un peu fort avec elle ?

Emma m'a fusillé du regard.

— Non !

— Ok... Je pensais juste que... enfin, tu pourrais lui donner une chance de se racheter, non ?

Elle a appliqué une grosse quantité de moutarde sur le pain.

— C'est bien ce que t'as fait, toi, à Julie quand tu es tombé face à face avec elle chez ton père, j'me trompe ?

Je comprenais tellement. J'étais bien mal placé pour juger.

— Je sais... Ok, on en parle plus.

Elle m'a fait son plus beau sourire.

— J'suis ben d'accord ! J'en ai besoin, Mady... j'ai besoin d'avoir la paix avec ça...

— Ok !

On a préparé les sandwichs avec Puddy qui rôdait autour et n'arrêtait pas de quêter un petit morceau de viande.

— Coudonc ! Tu le nourris, ce chien ?

Emma a éclaté de rire en me tapant le bras.

— Niaiseux ! Certain que je le nourris ! Possible qu'il mange ses émotions. Ça fait longtemps qu'il nous a pas vus !

J'ai flatté sa tête pleine de poils de gros chien frisé.

— Ouais ! Tu t'es ennuyé, mon gros ?

Puddy a poussé un jappement plaintif qui voulait tout dire. Emma est encore partie à rire.

— J'ai toujours dit que ce chien n'était pas comme les autres ! On dirait qu'il parle !

C'est en rigolant qu'on s'est dirigés vers la table à pique-nique, dehors. Le soleil plombait très fort mais, heureusement, nous étions légèrement en dessous d'un gros sapin. L'odeur de l'arbre m'a rappelé immédiatement le camp.

— Ça me rappelle de bons souvenirs, cette odeur. Toi ?

Emma a fermé les yeux.

— Oh, oui… c'était incroyable…

J'ai hoché la tête.

— Va falloir y retourner, c'est clair !

— Certain que l'été prochain, j'y retourne ! J'ai déjà hâte !

Elle a regardé dans le vide un instant, puis a éclaté de rire.

— Qui l'aurait cru, hein ?

On a mangé les sandwichs et, rendus aux petits gâteaux, elle m'a ramené sur terre assez vite.

— Julie, là...

— Ouais ?

— Elle va accoucher bientôt, non ?

— Je sais...

De l'inquiétude a commencé à m'envahir.

— Bon ! T'as ben l'air perturbé, toi !

Je n'osais pas le dire, mais j'avais choisi de rester chez ma mère une semaine à mon retour parce que j'avais peur de retourner chez mon père et de tout le temps penser aux jumelles qui s'en venaient.

— Pour tout dire, Emma... J'sais pas pourquoi, mais y a quelque chose qui me dit que j'vais pas me la couler douce avec eux... je veux dire... imagine... deux bébés.

Emma a soupiré, puis a dit en riant :

— Qu'est-ce qu'y a ? Ton papa macho commence à déteindre sur toi ?

Je l'ai regardée, surpris.

— Tu veux dire quoi ?

— Ben, c'est pas toi qui m'as déjà dit que ton père t'avait jamais changé la couche ?

Un frisson d'horreur m'a alors parcouru de bout en bout. Ils n'allaient quand même pas m'utiliser pour changer des couches !

— Des... des couches ?

Emma en a rajouté.

— Des couches, oui ! Te souviens-tu de ce qu'on s'était dit au ciné ? Mais si c'était que ça ! Tu vas aussi sûrement être obligé de partager ta chambre et de leur donner des biberons ! Va falloir que tu participes, mon gars !

Mais qu'est-ce que c'était que cette histoire ? Je me souvenais bien qu'Emma m'avait expliqué que j'aurais sûrement des couches des jumelles à changer. Mais pourquoi me parlait-elle maintenant de chambre à partager, de biberons et d'autres trucs encore ? Est-ce que ce qu'elle disait, c'était vrai ? Plus j'y pensais, plus je me disais que c'était possible ! Ahhh !

— Nom d'un chien ! Tu veux rire, j'espère ?

— Non ! J'suis certaine que tu vas devoir mettre la main à la pâte ! Tu n'y avais pas pensé ?

J'étais bien innocent de ne pas avoir prévu le coup.

— Ben... pas comme ça...

— Ah ! Moi, j'ai compris ça tout de suite ! Ta chambre, c'est la seule de libre là-bas. À part la petite pièce à débarras, à côté… mais deux lits de bébé, ça rentre pas là-dedans, c'est sûr !

J'étais complètement sous le choc parce que je n'avais jamais avant imaginé pire scénario. Mais en y repensant… ma chambre avait beau avoir été décorée à neuf… et même si tout se passait bien… je n'étais là qu'une fin de semaine sur deux, alors… C'était évident, maintenant… Ils avaient même oublié ma fête… pas de cadeau. Plus de chambre. Des couches et des biberons… Ça y est, j'avais la mine à zéro.

— Ma vie est foutue ! Je vais devoir rester chez ma mère…

Emma a éclaté de rire en m'entendant, mais moi, j'étais très sérieux. Je n'avais pas vu la situation comme ça, mais à présent… J'allais laisser passer la semaine et essayer d'y voir plus clair, c'est tout.

— T'en fais pas, Mady ! Tu vas pouvoir venir suivre le cours de gardienne avertie avec Stéphanie et moi !

J'avais l'impression de faire un cauchemar. Un cours de quoi ?

Petit tour chez mon père et Julie

Après avoir passé la semaine avec ma mère et ma grand-mère Thérèse, qui était venue faire son tour aussi, je me suis enfin décidé à aller quand même voir ce à quoi ma vie allait ressembler maintenant chez mon père et Julie.

Emma m'avait tellement fait peur avec toutes ses paroles que je n'avais presque pas fermé l'œil de la semaine. Mes bagages étaient dans l'entrée, et mon père allait bientôt arriver.

Maman m'a serré et fait un gros bisou sur le front comme d'habitude. Le train-train reprenait son cours… enfin, je l'espérais. Je n'avais pas envie que ma vie change, mais je n'étais pas fou, je savais que rien ne serait plus pareil avec l'arrivée des tours jumelles ! C'est comme ça que j'ai décidé de les surnommer dans ma tête. Mais bon, pas question de dire tout haut les idées qui traversaient mon esprit inquiet.

— Bon ! Sois sage chez ton père, ok ?

— Mais oui, maman ! Comme toujours !

Ma mère s'est mordue les lèvres, puis elle a dit en ajustant mon polo :

— Julie sera sans doute un peu irritable... Je veux dire que les femmes en fin de grossesse, souvent, en ont assez de peser une tonne de plus et... tu comprends ?

Et vlan ! Une autre qui me mettait en garde... J'allais à l'abattoir ou quoi ?

— C'est ok, maman... J'vais être compréhensif !

Mon père est alors entré dans la cour avec sa superbe Mustang, en klaxonnant par-dessus le marché. Ma mère m'a souri et en me serrant légèrement l'épaule, elle m'a poussé dehors.

— Allez ! N'oublie pas ce que je t'ai dit, hein ?

— Non ! Ça va aller, maman ! J't'appelle !

J'ai sauté dans la voiture à côté de mon père. La musique jouait fort comme d'habitude. J'ai baissé le volume en riant.

— Ouais... t'en profite, toi !

Mon père a rigolé.

— Oui ! Ça sera plus possible bientôt, alors je me fais plaisir ! Avec les jumelles... il va même peut-être falloir que je change de voiture... enfin, je ne sais pas encore.

Ça y est, les sacrifices commençaient déjà... Pourtant, mon père tenait à sa Mustang comme à la prunelle de ses yeux. Il a joué dans mes cheveux avec son bras libre.

— Comment ça va, fiston ? Ah, je suis bien content de t'avoir un peu !

— Ça va bien, papa ! Moi aussi, j'suis content de te voir !

— Tu sais que j'ai plein de nouvelles choses à te montrer à la maison ?

Il a démarré comme un dingue. Ma mère détestait ça. Les voisins aussi. Sacré lui, va !

— J'ai changé ta chambre de place. Enfin, tu sais, la petite chambre à côté de la tienne. Eh bien, je l'ai peinte de la couleur que tu avais choisie pour l'autre. Et voilà, une chambre toute neuve ! Quoique l'autre n'a pas eu le temps de servir beaucoup... Enfin, tu comprends, les lits des jumelles ne rentraient pas dans l'autre chambre... Et après avoir retourné la situation de tous bords tous côtés... on s'est aperçus qu'on n'avait pas vraiment le choix !

J'étais sidéré... Emma avait des dons de voyance ou quoi ?

— Euh... ben, qu'est-ce que tu veux... s'il y avait plus de place...

Mon père a tapé sur ma cuisse gauche.

— Génial ! Je savais que tu comprendrais, fiston ! C'est aussi ce que j'ai dit à Julie ! Elle avait peur que tu sois fâché ! Mais je lui ai dit : « Ben non, il va comprendre ! ».

J'étais pourtant furieux, mais je ne voulais pas le montrer. Ces jumelles n'étaient même pas nées, et elles venaient déjà changer toutes mes affaires !

— Bah ! C'est pas grave... On verra sur place.

Mon père a grimpé un peu le volume de la radio en dansant sur son siège.

— En passant, j'ai été complètement ébloui par tes exploits au camp ! Ton moniteur n'y est pas allé de main morte en nous expliquant ce qui s'était passé là-bas. Dis-moi, ça a vraiment été comme ça ?

Vu la manière dont il me parlait, j'ai dû constater qu'ils avaient vraiment tous oublié ma fête. Passe pour ma mère, qui était toute triste en ce moment, mais ma grand-mère et, surtout, mon père, alors là, ça n'allait pas du tout ! Par chance qu'au camp, on avait eu quelque chose de spécial pour moi !

— Oui, papa... c'est comme ça que ça s'est vraiment passé.

Mon père a serré le volant en se balançant d'avant en arrière.

— Je n'y crois pas ! Tu es un vrai héros ! Dans le fond, tu l'as sauvé, le petit vaurien !

Il parlait d'Édouardo.

— Oui, papa…

— Moi, je ne suis pas certain que j'aurais agi de la même manière, après tout ce qu'il t'avait fait endurer à l'école ! Je suis bien fier de toi !

— Ah…

Qu'est-ce que je pouvais rajouter à ça ?

— En tout cas, j'ai bien hâte de voir comment il va se comporter à l'école, maintenant !

— T'en fais pas avec ça, papa… Édouardo a changé, pis moi aussi. On a compris ben des affaires dans le bois.

Mon père a soupiré.

— Ça en a bien l'air….

Ensuite, on a roulé un bon bout sans parler, puis mon père m'a raconté un peu son travail. De la difficulté à tout faire en même temps. La chambre des jumelles lui avait pris beaucoup de temps et, à le voir aller, je voyais qu'il commençait à être un peu inquiet. Il était en train de réaliser que bientôt, il y aurait deux petits monstres à batterie dans la maison.

— Julie a insisté pour qu'on suive des cours de préparation à la naissance…. J'te dis pas le stress que ça m'a causé !

Il avait l'air de vraiment en arracher. Il a continué.

— Ben… les autres gars qui étaient dans le cours, pour la plupart, ils avaient déjà d'autres enfants en bas âge… Alors que tu sais, moi, ça fait longtemps que je n'ai pas changé de couche !

« Dis plutôt jamais, petit père ! » Emma avait encore raison… Il allait me demander de l'aide ou quoi ?

— Et ?

— Eh bien… je me suis pratiqué avec les autres gars sur une poupée ! Tu te rends compte ? C'était presque la fin du monde ! Vraiment humiliant, toute cette histoire ! Il y a même un gars qui racontait que, chez lui, c'était lui qui changeait la couche de son plus vieux… deux ans… deux ans et il a encore une couche, tu te rends compte ? Imagine ce qui s'y cache, dans cette couche-là !

J'avais de la misère à garder mon sérieux.

— Mais enfin, papa ! Tu crois quand même pas que Julie va tout faire toute seule ? Pourquoi tu me dis ça ?

— Ben… si tu veux bien m'aider avec les filles, je te donnerai le double de ton argent de poche !

J'étais sous le choc. Mon père était un cas irrécupérable.

— Franchement, papa ! J'aimerais bien avoir le double de mon argent de poche, c'est sûr, mais tu trouves pas que t'exagères un peu ? Qu'est-ce que tu vas faire quand je serai pas là ?

Il a soupiré.

— Je sais… je sais…

Pauvre papa… il avait un sérieux problème.

— Allez, tu vas voir, mon p'tit papa ! Tu vas être le meilleur !

Mon père a ravalé sa salive en silence et a concentré son attention sur la musique, qui jouait toujours aussi fort. Le pauvre n'avait pas prévu que je lui dirais de faire un effort. Sans doute que Julie lui répétait la même chose, elle aussi.

Le reste du trajet s'est fait dans le quasi-silence. Mon père était absorbé par ses réflexions et moi, je me suis résigné à ne pas avoir de cadeau de fête. En plus, on m'avait expulsé de ma chambre et mon père était au bord de la dépression. J'avais presque peur d'arriver et de voir Julie, maintenant.

Quand mon père a garé la voiture dans la cour, j'ai vu une énorme silhouette sur le perron... C'était elle... Une semaine seulement avait passé depuis que je l'avais vue dans le restaurant, mais il me semblait qu'elle avait encore engraissé de vingt kilos. J'allais bien me garder de dire cette remarque si je tenais à la vie. De toute façon, ma mère ne m'avait sûrement pas averti pour rien. Un peu de sagesse n'avait jamais fait de mal à personne.

— Salut, mon beau Mady !

Au moins, elle était de bonne humeur. Elle s'est approchée avec difficulté pendant que mon père sortait mon sac de voyage du coffre de la voiture.

— Je suis contente de te voir ! On n'a pas assez eu le temps de jaser, l'autre jour, au resto ! J'ai vraiment hâte de te raconter plein de choses ! Et aussi que tu m'en racontes, bien sûr !

Elle m'a fait un petit clin d'œil !

— Il devait bien y avoir des filles, là-bas, au camp, non ?

Ah non ! Elle n'allait pas se mettre à me poser dix mille questions là-dessus !

— Ouais... y'en avait quelques-unes...

Mon père m'a sauvé la mise en me poussant dans le dos en direction de la maison.

— Chanceux ! Tu vas nous raconter ça, hein ?

Julie lui a fait une paire de gros yeux.

— Comment ça, chanceux ?

Il s'est tourné vers moi pour me faire un petit sourire de macho.

— C'est une blague, bien sûr, ma chérie !

La visite de ma nouvelle chambre ou plutôt... de ma nouvelle garde-robe !

Eh oui, ma chambre est tellement petite que c'en est ridicule ! J'ai déposé mon sac sur mon lit... enfin, ce qui me reste de lit. Je ne l'aimais pas du tout, cette pièce. Ça a dû paraître sur mon visage, parce que Julie n'a pas arrêté de s'excuser et de m'expliquer le pourquoi du comment. C'était bien inutile. J'étais seulement déçu.

— C'est correct, Julie. Ça va aller…

Seule consolation au tableau. Mon Gilbert était là, au fond de son vivarium. Il a d'ailleurs relevé la tête comme s'il m'avait reconnu.

— Ah, mon p'tit Gilbert !

Je l'ai sorti de son petit cocon pour le prendre dans mes mains. Julie a souri en frottant son immense bedaine.

— C'est qu'il s'est ennuyé, notre petit Gilbert !

J'étais content de l'avoir retrouvé. Julie s'est secouée un peu.

— Tu veux un cornet ? Quelque chose de froid ? Bon sang qu'il fait chaud, hein ?

Son front était plein de sueur, en effet.

— Ok, à condition que t'en prennes un avec moi !

Elle est partie à rire.

— Pour ça, je suis toujours prête !

Julie est montée à l'étage en ronchonnant qu'il lui faudrait bientôt un ascenseur.

Enfin, seul… Je n'ai pas pu m'empêcher d'aller voir mon ancienne chambre.

J'ai ravalé ma frustration en ouvrant la porte. C'était super bien décoré et deux petits lits trônaient au centre de la pièce, là où le mien avait déjà été installé… J'étais vraiment en colère contre Julie et mon père, mais j'étais incapable de le dire tout haut.

J'ai alors entendu le plancher de la cuisine craquer, ce qui m'a ramené à la réalité. Je suis sorti de la chambre aussi vite que j'y étais entré. Moi qui m'attendais à voir Julie, c'est mon père qui descendait avec un verre de jus à la main.

— Julie est en train de te préparer un cornet.

— Je sais…

Voyant que j'étais devant la chambre des jumelles, il s'est avancé.

— As-tu regardé ?

Que répondre à ça ?

— Ouais…

Mon père a paru surpris. Si moi, je n'étais pas capable de comprendre les filles, lui ne valait pas mieux pour comprendre un gars de treize ans. Treize ans, justement, qu'il avait oubliés de fêter.

— Qu'est-ce qu'il y a ? Tu n'as pas l'air dans ton assiette…

— Non, non… c'est correct...

Mon père a terminé son jus comme si de rien n'était.

— Ok ! J'ai cru voir ton air maussade, le temps d'une gorgée.

Il m'a montré son verre vide en souriant. Il faisait de l'humour avec ça, en plus !

— Si tu l'dis !

Julie a encore une fois sauvé la situation en arrivant juste avant que j'explose devant mon père inconscient. Elle m'a tendu le cornet que j'avais bien mérité.

— Bon, tiens ! Moi, je n'en peux plus, je vais mettre mon maillot et je sors barboter ! Quelqu'un vient avec moi ?

Au moins, ils avaient une piscine à la maison, maintenant. Je pourrais toujours dormir dedans si j'étouffais dans ma chambre-penderie.

Papa a marmonné parce qu'il n'aimait pas beaucoup la piscine.

— J'ai des trucs à voir sur mon auto…

Julie a roulé des yeux. Elle avait compris qu'il se défilait.

— Ok, ok. Et toi, Mady ?

J'avais juste le goût d'aller manger mes émotions dans le garde-robe qui me servait de nouvelle chambre. Je n'étais pas super inspiré pour la saucette.

— Peut-être tantôt…

Julie a ronchonné.

— Allez ! Ne me laisse pas toute seule ! Il y a assez de ton père qui le fait !

Elle a lancé un regard assassin à mon père, qui n'en a évidemment pas compris le sens. Je me suis dit qu'au moins, dans ce temps-là, il était bien heureux puisqu'il ne captait rien ! Pauvre papa, il avait du chemin à faire avec les filles… Mais au moins, il avait de la chance que Julie soit là. Heureusement que j'arrivais un peu plus que lui à les comprendre. Mais bon, faut dire que les filles, elles parlent souvent avec des images ou des silences qu'il faut complètement traduire, un vrai cauchemar.

— Ok… j'ai juste mon costume de bain à mettre.

Julie s'est retournée en tirant la langue à mon père, qui a haussé les épaules.

L'eau purifie les pensées noires

Je suis entré dans l'eau comme un seul homme. J'étais le premier, car Julie suivait juste derrière dans son énorme maillot jaune poussin… Pas très élégant, il faut le dire.

— Ouf ! Elle est froide !

Julie a éclaté de rire.

— Ouais, m'sieur ! Moi, j'aime ça quand ça rafraîchit !

J'avais quasiment les cheveux qui se dressaient sur la tête. J'ai attrapé le thermomètre, qui indiquait 20° C.

— J'comprends pas pourquoi l'eau est pas plus chaude que ça… J'veux dire, on crève dehors, non ?

Julie m'a fait un petit clin d'œil.

— J'ai mis de l'eau froide dedans tantôt ! Ne me parle pas de me baigner à 26° C et plus ! J'ai chaud, là ! Je vais mourir si je ne me refroidis pas un peu.

Tant mieux pour elle, mais moi, j'avais la chair de poule. Enfin, au moins, je n'avais plus la tête à penser à ma nouvelle chambre et à toutes les autres affaires qui me dérangeaient ici.

Les bras croisés contre ma poitrine pour garder ma chaleur, je me suis étiré dans l'eau. Julie m'a un peu niaisé.

— Voyons donc ! Elle est pas si froide que ça !

Je me suis contenté de lui faire un petit sourire timide. C'était certain que je ne resterais pas longtemps arrangé comme ça !

J'avais l'impression que j'avais plus froid dans cette piscine que dans le lac du camp de vacances, c'est pour dire ! Julie m'a sorti de mes rêveries.

— Je me demande à quelle température ils mettent l'eau, quand les femmes accouchent dedans…

J'ai fait le saut. Quoi, accoucher dans l'eau ? Non mais, ça ne va pas la tête ? Autant tuer les bébés tout de suite !

— Mais voyons ! Dans l'eau, le bébé ne peut pas respirer en sortant !

Julie a souri.

— Le bébé ne respire qu'à l'air libre, Mady ! Le temps qu'il est encore dans l'eau, c'est comme s'il n'était pas sorti du ventre de sa mère, alors il ne respire pas encore. C'est le cordon ombilical qui lui amène l'oxygène nécessaire à sa survie…

— Ah ! Ça a plus de bon sens ! Merci de l'info.

Julie a éclaté de rire et, au même moment, elle s'est crispée, la main sur son gros ventre.

— Ouch… aïe !

J'ai été tout à coup très nerveux. Mon cœur s'est mis à battre de plus en plus vite.

— Qu'est-ce que t'as, Julie ?

— Je ne sais… pas… Je crois que c'est les bébés…

— Les bébés…

Je commençais à me sentir mal.

— Tu veux dire quoi, là ?

— Je veux dire que je vais avoir besoin d'aide pour sortir de la piscine, Mady, et ça presse !

La panique m'a pris.

— Papaaaaa !

Julie a mis la main sur ma bouche, pour me faire taire. Elle restait calme.

— Chut ! Ne crie pas comme ça, ce n'est pas nécessaire. On va commencer par sortir de l'eau, ok ?

Je l'ai aidée à quitter le bassin et, comme elle se penchait pour prendre la serviette que je lui tendais, une mare d'eau chaude et visqueuse s'est échappée de son costume de bain !

— Mais c'est quoi, ça, encore ?

J'en avais partout sur les pieds et les jambes. Julie s'est cramponnée à la rampe du patio en hoquetant, le visage tiré par la douleur.

— Du liquide amniotique… Je viens de perdre les eaux ! Je vais accoucher ! Ô mon Dieu !

— Papaaaaa !

— Mady ! Je vais avoir le temps de me rendre à l'hôpital ! Alors, arrête de crier, s'il te plaît !

J'étais sous le choc.

— Mais tu devais les avoir que dans un mois, non ?

Julie a répondu :

— Oui... mais... c'est souvent comme ça, avec les jumeaux... ça arrive plus vite que prévu !

Elle s'est assise sur une chaise de patio en calmant sa respiration.

— Bon, là... va chercher ton père, ok ?

J'ai failli tomber tellement mes pieds étaient visqueux. Je l'ai laissée là, toute seule, même si ça m'embêtait. Mais je n'avais pas le choix.

Mon père, qui bisounait sous sa voiture, ne m'a pas vu tout de suite arriver.

— Papaaaaa !

Je hurlais tellement qu'il s'est cogné la tête sous le véhicule.

— Combien de fois est-ce que je t'ai dit de ne pas me faire faire le saut comme ça ? Un beau jour, je vais me fendre le crâne à cause de ça !

Il est ensuite sorti de sous son auto pour me faire la morale, mais en voyant mon visage, mes pieds visqueux et mon air paniqué, il a réalisé que quelque chose de grave était arrivé.

— Papa ! Viens vite ! Je crois que Julie est en train d'accoucher !

— QUOI ?

Il s'est levé d'un bond et plutôt que de me suivre, il a tourné en rond devant son coffre à outils.

— Mais qu'est-ce que je vais faire avec tout ça ?

Ah, c'était bien mon père ! Il pensait à ses outils avant d'aller chercher Julie, qui l'attendait, trempée, dans la cour en arrière. Enfin… chacun sa façon de réagir au stress. Il fallait quand même que je le réveille !

— Laisse faire les outils, papa ! J'm'en occupe, va chercher Julie pendant c'temps !

Il est parti comme une flèche vers le fond de la cour et a disparu derrière la rangée d'arbres qui bordait la maison.

J'ai de mon côté ramassé les outils le plus vite possible. Mon cœur battait comme un beau diable. Je ne réalisais pas encore que, dans moins de vingt-quatre heures, j'allais devenir un grand frère à mes propres risques et périls, mais j'avais l'adrénaline au top !

Julie est arrivée à rentrer dans la maison par-derrière. Mon père l'a aidée à s'asseoir doucement sur une chaise de la cuisine. Il était super nerveux et tournait en rond, alors c'est à moi que Julie a demandé d'aller chercher sa valise qui était au sous-sol, dans la chambre des jumelles.

Pendant que mon père se ruait sur le téléphone pour appeler le docteur, je suis donc descendu à la cave. J'ai bien trouvé une valise... mais elle était vide ! Julie ne l'avait pas encore préparée ou quoi ?

J'ai monté les marches quatre à quatre pour lui demander ce qu'il fallait faire. Julie a regardé la valise sans rien dire pendant un moment qui m'a paru une éternité. Mais bon, je pense qu'elle devait avoir une nouvelle contraction, parce que son visage était tout rouge.

— Va... va... de... dans ma chambre et... mets ce que tu crois nécessaire... co... comme si... si tu allais coucher trois jours chez un ami.... Vite, Mady !

Mon père a raccroché le combiné au même moment.

— Le docteur a été mis au courant ! Tout le monde se prépare là-bas ! Ils nous attendent !

Julie lui a souri. Calmé, il a commencé à lui masser les épaules.

— Ça va aller, ma chérie ?

Julie a fait oui de la tête en le regardant amoureusement.

— Va aider Mady avec ma valise, ok ? Tu sais un peu ce que je voulais amener ?

— Oui… euh… ok…

Je me suis donc retrouvé dans la chambre de Julie et de mon père, en train de fouiller dans les tiroirs de bobettes de ma belle-mère. Franchement, j'étais gêné… et je ne savais pas trop quoi choisir non plus, en fait. Mais bon, ce n'était pas le temps de niaiser.

— As-tu pris une robe de chambre ?

Mon père a secoué la tête.

— Oui… voilà ! Tiens, rajoute ça !

— Ok…

Moins de cinq minutes plus tard, on avait réussi à faire un semblant de valise pour Julie. Par chance, celle des jumelles était déjà faite et se trouvait aussi dans leur chambre.

— Viens, mon gars ! Il faut absolument s'en aller !

Mon père a posé les yeux sur moi puis sur Julie, qu'on voyait depuis la chambre.

— Bon… il faudrait vous nettoyer un peu avant, ce serait mieux.

Mais oui, bien sûr ! J'avais presque oublié mon état lamentable ! J'avais de la misère à m'imaginer en train de dégouliner de ce liquide bizarre dans la salle d'attente de l'hôpital et en costume de bain, en plus ! Il y avait des limites à avoir l'air fou braque !

— Ouais… J'me dépêche, t'en fais pas ! Amène donc Julie dans la salle de bains pendant ce temps ! J'vais vraiment faire vite !

De plus en plus stressé, mon père a couru vers sa blonde. Julie, quant à elle, comptait avec sa montre les minutes entre ses contractions… si douloureuses, d'ailleurs, qu'on aurait dit que, chaque fois, sa tête allait exploser tellement elle faisait des grimaces. Je n'avais jamais vu ça ! Moi qui pensais qu'elle accoucherait quand je serais tranquillement chez ma mère… histoire de ne pas être mêlé à ça… eh bien, j'avais tout faux ! Et voilà que les jumelles n'étaient même pas nées que toute la maison était déjà à l'envers et que tout le monde courait partout !

Mais ce n'était pas le moment de penser à ça. Pour l'instant, il fallait juste que je me bouge les fesses. Alors j'ai détalé vers la salle d'eau du bas pour me laver grossièrement les jambes et les pieds, me mettre un short propre et un tee-shirt digne de ce nom. J'ai ensuite attrapé mon sac à dos, un tome de la série *Capitaine Aquidam*, mon iPod, une palette de chocolat et un paquet de gommes… sans oublier des feuilles et mon cahier d'écriture, au cas où je serais inspiré. Je me sentais ridicule, mais bon, à l'école, on m'avait dit que les auteurs traînaient toujours avec eux un tas de feuilles pour écrire, alors…

— Mady ! Vite, il faut partir ! Amène la valise des jumelles en montant !

Je suis remonté le plus vite possible, chargé comme un mulet… et là, ça commençait à être de moins en moins drôle.

— Ahhh ! Ça fait mal….

Julie se plaignait sur la chaise en gigotant comme un ver. Mon père l'a aidée à se lever et à marcher jusqu'à la voiture. Et en parlant justement de cette dernière… il a finalement fallu prendre celle de Julie, car mon père a carrément éventré la sienne en reculant dans la cour. Mais contrairement à ce que je craignais, il a souri et a lancé comme si de rien n'était :

— Tiens bon, ma chérie... On va se rendre à l'hôpital plus vite que ton ombre !

Bon, bon... les commentaires à la Lucky Luke, maintenant... Julie a froncé les sourcils. Ce n'était pas le moment de blaguer, à ce que je pouvais voir.

— Mady ! Barre la porte, et apporte la valise !

J'ai fait ce qu'il me demandait et puis l'ai suivi. Il s'en allait péniblement vers la voiture noire de Julie, en tenant d'un côté sa blonde qui chancelait et sa valise de l'autre. La voiture semblait loin par rapport à la vitesse à laquelle Julie avançait. Elle avait l'air très nerveuse et tremblait un peu dans les bras de mon père. Je me suis demandé si j'aurais mieux fait que lui dans une situation de ce genre. Sûrement pas, en fait. Seulement, je n'arrivais pas à me mettre dans la tête que tout ça était bien réel. Tout s'était passé tellement vite... j'avais été absent un moment, je pense, et il me semblait que je n'avais pas vu venir les choses.

Je regardais mon père et Julie se diriger péniblement vers la voiture et moi, derrière, je me sentais perdu. Je veux dire que… qu'on aurait dit qu'il ne me restait rien… plus de chambre… plus de père parce qu'il était parti avec Julie et qu'il aurait bientôt deux nouveaux enfants… une nouvelle famille… enfin, pour lui… et moi, qu'est-ce qui me resterait dans tout ça ? Est-ce que j'avais encore ma place ?

— Allez, viens, Mady !

Mes jambes se sont activées sans que je m'en rende vraiment compte. J'avais la sensation d'agir comme un bonhomme désarticulé, sans vraiment y avoir pensé. Je n'avais jamais rien senti d'aussi fort… C'était comme être abandonné. J'avais le goût de me pincer pour revenir à la réalité, mais je savais que c'était impossible. Julie allait donner naissance à deux tours jumelles… et je ne pouvais rien faire. Me pincer ne changerait pas grand-chose.

— Mady ! Vite !

J'ai couru et suis entré dans la voiture. Je savais où elle me mènerait, mais je ne savais pas comment j'en reviendrais, au juste. Mon père a claqué la porte derrière moi.

Mission hôpital!

Mon père a garé la voiture devant les urgences et a failli tomber tête première en sortant pour payer le stationnement. Julie, elle, était dans tous ses états. Ça semblait très douloureux d'accoucher! J'avais vraiment de la chance d'être un gars!

— Allez, viens!

Mon père a aidé Julie à sortir de l'auto, mais cette dernière avait de la peine à simplement marcher.

— Mady! Va chercher une chaise roulante à l'intérieur!

J'étais surpris. Quoi, une chaise roulante? Il n'y allait pas de main morte, mais aux grands maux les grands remèdes, comme le dit ma grand-mère. J'ai donc fait ce qu'il me disait.

Une infirmière m'a regardé entrer dans les urgences et m'a suivi des yeux. Elle se demandait sans doute que je faisais là tout seul.

— Je peux t'aider, mon garçon?

« Mon garçon »... Drôle de façon de nommer les gens... J'aurais pu l'appeler « fille », tant qu'à ça! Mais bon, je n'étais pas venu ici pour ça.

— Ma belle-mère est en train d'accoucher dans le stationnement, alors j'ai pensé qu'une chaise roulante serait utile !

L'infirmière a immédiatement appelé la maternité et, en moins de temps qu'il n'en faut pour le dire, elle s'est retrouvée de l'autre côté de son comptoir, avec la ferme intention de sauver la situation.

— Où est-elle ?

J'étais aussi nerveux qu'elle.

— Quoi, la chaise ?

— Mais non ! Ta belle-mère, bon sang !

Oups, je venais d'allumer ! J'ai pris en marchant vite la direction du stationnement, suivi de l'infirmière et du gardien de sécurité, qu'elle avait chargé d'amener la chaise. Mon père soutenait Julie, qui n'avait plus beaucoup de répit entre les contractions. La situation avait évolué très vite.

— Dépêchez-vous, madame !

Mon père était quasiment hystérique, et j'avais peine à croire que moi-même, j'assistais à cette scène. On aurait dit un feuilleton américain.

— Allons, madame, assoyez-vous sur cette chaise ! a dit fermement l'infirmière. On va vous amener à l'intérieur le plus vite possible !

Ils ont tenu leur promesse, parce qu'environ deux minutes plus tard, nous étions déjà à l'étage de la maternité. Julie y a été accueillie par son docteur et toute une panoplie d'infirmières qui l'attendait. Elles avaient toutes l'air excité et content. Personne n'a fait attention à moi et j'ai été traîné plutôt qu'invité dans la salle d'accouchement.

J'ai d'ailleurs été surpris de voir la pièce en question. En fin de compte, ça ressemblait à une chambre normale, avec un lit et tout : chambre de bains, lavabo, petite armoire. J'avais donc de la peine à croire qu'elle allait accoucher ici. Moi qui pensais qu'il fallait qu'aucun microbe ne rentre et qu'on porte tous des masques et des robes comme dans la série *Urgences*, c'était finalement comme si on était à la maison. Surprenant quand même.

— Eh, toi, petit ! Assois-toi ici, s'il te plaît.

Une infirmière me pointait une chaise à côté de la tête de lit.

— Oh... euh...

Je n'avais pas prévu rester dans la chambre, moi !

— Je...

— Allez ! Assois-toi !

Elle m'a un peu poussé pour me faire comprendre que je n'avais pas le choix. Mon père m'a heureusement fait un clin d'œil en me disant que c'était correct et que tout irait bien. Julie était en sueur et semblait avoir mal partout. Mon cœur s'est alors serré et j'ai commencé à être encore plus en colère qu'avant par rapport à la situation. Ces deux bébés-là mettaient vraiment la pagaille dans ma vie. J'avais le cœur gros, et en même temps je n'avais pas été préparé à voir ma belle-mère souffrir comme ça. Papa a remarqué ma mine basse.

— Ça va, mon grand ?

J'étais très mal à l'aise.

— Ben... non, pour tout dire. J'aimerais mieux sortir. Je sais que t'as pas vraiment le temps de t'occuper de moi, mais j'ai treize ans maintenant, je peux me débrouiller. J'vais attendre à l'extérieur... je...

Mon père avait l'air déçu.

— Mady... tu peux rester, tu sais... Je veux dire, tu ne veux pas voir la naissance de tes sœurs ?

Mes sœurs ? Je ne les voyais pas du tout de la même façon que lui. Elles auraient bien des efforts à fournir avant de mériter ce titre !

— Disons que... je ne m'étais pas encore fait à l'idée... Vous ne m'aviez jamais dit que j'assisterais à leur naissance...

Julie, qui ne semblait pas vraiment là tellement elle était concentrée, a alors poussé un cri. Mon père m'a tout de suite laissé pour s'occuper d'elle. J'étais bien mal placé pour lui mener la vie dure devant tout le monde. Il fallait donc que je trouve le moyen de partir en douce de la chambre...

Une infirmière a dû lire dans mes pensées parce qu'elle m'a attiré à part.

— Eh, petit... ça va ?

Petit ?... Je n'avais quand même pas six ans...

— Oui et non... J'ai vraiment pas envie de rester, si vous voyez ce que je veux dire.

Elle m'a immédiatement fait signe de la suivre à l'extérieur de la chambre, en faisant un clin d'œil à une de ses collègues. Bon !

Enfin quelqu'un qui comprenait que je n'avais pas ma place dans une salle d'accouchement ! Des plans pour me traumatiser pour le restant de mes jours ! Mon père ne s'est même pas aperçu de mon escapade... C'est donc en soufflant un bon coup que j'ai ramassé mon sac à dos et que j'ai quitté la pièce avec l'infirmière.

— Pauvre petit...

J'en avais vraiment assez qu'elle m'appelle Petit ! Mais bon, j'étais prêt à passer l'éponge, puisqu'elle m'avait permis de sortir de la chambre.

— Je vais t'installer dans la cuisinette... Il y a des petits biscuits et du jus dans le frigo.

Elle m'a entraîné dans le corridor.

— Merci.

Il y avait dans cette pièce de repos une chaise sur laquelle je pouvais m'asseoir si je le voulais. Tant mieux, car ça serait sûrement long. Il y avait aussi une espèce de petit salon à côté des fenêtres. Je me suis donc promis d'inspecter les lieux, dès qu'elle me laisserait le champ libre.

— Merci, madame...

Elle a un peu joué dans mes cheveux.

— Je te promets de te ramener deux belles petites filles d'ici peu ! À plus tard, alors ! Et si tu changes d'avis, tu peux revenir dans la chambre quand tu veux, ok ?

Je lui ai souri pour lui faire comprendre que j'étais correct. Franchement, je n'étais pas le genre de gars à aller assister à un film d'horreur en direct ! Déjà que j'avais de la peine à croire que j'étais là, avec mon sac à dos, mes biscuits et mes petits gobelets de jus de pommes...

— À tantôt, alors...

L'infirmière est partie en faisant claquer ses talons.

Autour de moi, il y avait des armoires, bien sûr. J'étais dans une cuisinette, après tout, c'était normal. Mais je pouvais voir de ma position toutes les portes des chambres où il y avait des femmes en train d'accoucher. Les lumières en haut des portes étaient allumées et parfois, on entendait des cris de femmes. C'était horrible ! J'étais traumatisé ! Il fallait que je sorte d'ici au plus vite !

J'ai fouillé dans mon sac et en ai sorti mon porte-monnaie. Il devait bien y avoir un téléphone public dans les environs. J'avais bien demandé à mes parents un téléphone cellulaire pour ma fête, mais comme ils semblaient ne pas trop s'en être préoccupés, j'allais devoir chercher un dinosaure à fil dans les couloirs de l'hôpital.

Je suis donc parti avec un peu de monnaie. J'ai rapidement trouvé l'ascenseur, qui m'a descendu jusqu'à la cafétéria, dans l'entrée de l'hôpital... J'y ai trouvé un poste téléphonique datant au moins de la Seconde Guerre mondiale. J'y ai glissé deux pièces et ai composé un numéro.

— Allo ?

Ah, Emma était chez elle ! J'étais tellement content !

— Emma, au secours ! Il faut que tu viennes me chercher tout de suite !

Elle a dû sentir ma détresse, car sa voix a changé.

— Oulala ! Qu'est-ce qu'il y a ? T'es où, là ? T'étais pas censé être chez ton père ? Qu'est-ce que t'as encore fait?

J'étais outré ! Ben oui, après tout, ce n'était pas moi qui étais responsable de tout ce bazar !

— Eh, c'est pas de ma faute ! C'est Julie qui a décidé d'accoucher, là !

Mon amie a éclaté de rire. La pression était retombée.

— Bon ! Alors personne est mort ! Pourquoi tu capotes autant ?

— Si t'étais là, tu comprendrais! Tout le monde crie, là-dedans ! C'est un vrai asile de fous ! Il faut que tu viennes me chercher, pitié ! Ou bien que j'aille te rejoindre en autobus !

Elle m'exaspérait à force de ne rien comprendre.

— Pourquoi t'appelles pas ta mère ?

Là, j'étais à bout et ai explosé :

— Ben, réfléchis trois secondes, c'est pas compliqué ! J'veux pas la mêler à ça, c'est tout ! J'pense pas que ma mère, ça lui tente de venir se pointer le nez à l'hôpital, on peut le comprendre !

Emma a soupiré.

— Ouais… Écoute, tu peux pas partir de là, ça se fait pas. Ton père va finir par sortir de la chambre et te chercher partout !

— J'm'en fous, de mon père ! J'veux pas rester ici !

Elle a grogné.

— Ok, ok. J'vais venir te rejoindre. J'vais prendre l'autobus.

J'ai alors réalisé que je n'étais pas à Montréal, mais sur la Rive-Sud.

— Mais ça va te prendre une éternité ! Ta mère ne peut pas venir te porter ici ? J'suis prêt à rester, mais juste si tu restes avec moi ici, point à la ligne... sinon, j'me pousse ! Je ne peux pas endurer ça tout seul !

Emma a de nouveau ri.

— Bon, j'vais demander à ma mère. Attends un instant, que je lui explique ce qui t'arrive.

Elle a posé le téléphone, et l'attente m'a paru durer une heure.

— Bon ! Maman a pitié de toi, t'es chanceux ! Elle dit qu'elle va m'emmener... alors, laisse-moi prendre quelques trucs et je serai là dans une vingtaine de minutes, ok ? C'est le plus vite que je peux faire !

J'ai soupiré. Je n'aurais plus à endurer ce calvaire tout seul, j'étais rassuré.

— Merci, Emma....

— T'en fais pas, Mady ! Tu sais, Julie est pas la première femme à accoucher !

Je savais tout ça, mais il n'y avait pas que ça qui me tracassait. Il y avait aussi le fait que j'allais devoir chambouler toute ma vie...

et ça ne me plaisait vraiment, mais vraiment pas du tout ! Je n'étais pas prêt et n'en avais pas envie. Est-ce que quelqu'un m'avait consulté avant de m'imposer ça ? Non, comme d'habitude !

— À tantôt, Emma... Je vais t'attendre à l'entrée des urgences.

— Parfait !

Elle a raccroché et, à cet instant, je me suis demandé ce que Cerf argenté, mon animateur amérindien de camp de vacances, aurait fait, lui...

Enfin de l'aide !

J'étais en train de perdre patience dans l'entrée de l'hôpital, le nez collé à la baie vitrée, quand la voiture de Clarence est entrée dans le stationnement. Emma en est sortie et j'ai couru vers elle. On aurait pu me comparer à un chien errant tellement j'avais l'air perdu. Mais bon, je n'allais quand même pas me réjouir de ce qui se passait !

— Emma !

Elle m'a aussitôt vu et a donné congé à sa mère.

— Oui, maman… Oui, j'te dis ! Je t'appelle dès que tu pourras venir me chercher.

Elle m'a regardé d'un air impatient. C'était clair que sa mère et elle, ce n'était pas le grand amour encore.

— J'vais rester avec lui, maman ! Je vais peut-être dormir ici… Mais non, on va pas déranger… Je ne peux pas le laisser tout seul, ok ?

Sa mère a haussé les épaules, m'a fait un petit salut de la main et a redémarré sa voiture. Emma lui a fait un signe de la main pendant qu'elle s'éloignait, puis elle s'est retournée vers moi.

— Bon débarras !

J'étais vraiment surpris car, personnellement, j'en devais une à Clarence. Si elle n'avait pas accepté de venir reconduire Emma ici, j'aurais encore été en train d'attendre et de me morfondre dans le couloir des naissances.

— Emma… tu devrais pas dire ça…

Elle a levé la main en signe de trêve.

— Allons ! Je suis pas venue pour qu'on jase de ça.

Elle s'est approchée et m'a serré dans ses bras.

— Ah, Mady… tu tiens le coup ?

Je ne m'attendais pas du tout à ce qu'elle me prenne dans ses bras… Mais ensuite, l'odeur de ses cheveux m'a rempli les narines et j'en ai oublié de répondre.

— Mady, tu m'entends ?

Emma me secouait un peu.

— Euh… oui… euh… non ! Qu'est-ce que tu crois ? Je t'ai pas fait venir ici pour rien !

Elle m'a fait un clin d'œil et m'a entraîné à l'intérieur de l'hôpital.

— Allons… Vous autres, les gars, vous avez toujours tendance à exagérer les choses !

J'ai froncé les sourcils.

— Mais qu'est-ce que tu dis, là ? J'suis super sérieux, au contraire ! Là-dedans, c'est l'horreur ! Y'a des femmes qui crient partout ! Tu vas vite voir que je blague pas !

Elle a éclaté de rire.

— On va commencer par retourner dans la chambre de Julie et ensuite, si ce que tu me dis est vrai, alors on se sauvera !

Elle m'a pincé le bras, l'air taquin. Ça y est, elle me narguait et ne me prenait pas au sérieux ! J'étais furieux.

— Ben ! Tu vas voir par toi-même, si tu me crois pas, d'abord !

Elle a appuyé sur le bouton de l'ascenseur, qui nous a rapidement amenés à bon port. L'odeur de la pouponnière m'a tout de suite rempli les narines.

— Ouach ! Maudit que ça pue !

Emma m'a donné une petite claque dans le dos.

— Voyons donc ! Mmm... Au contraire, je trouve que ça sent bon la poudre pour bébé !

Moi, cette odeur me donnait le tournis.

— Beurk ! Moi, je supporte pas.

Emma est allée voir l'infirmière à la réception, qui m'a aussitôt reconnu en voyant mon air bête. Elle a éclaté de rire.

— Tiens donc... Tu as quitté la cuisinette pour te trouver du renfort, petit ?

Alors là, si elle continuait à m'appeler comme ça, je ne répondrais plus de moi ! J'en avais marre d'être ici ! En plus, je savais que ça serait long...

— Ouais... si on veut.

Emma, qui trouvait que je n'étais pas poli, m'a donné un coup de coude dans les côtes.

— Ouch ! Ayoye !

Emma m'a fusillé du regard.

— Sois poli si t'es pas joli !

Cette remarque de gamine a fait rire l'infirmière, qui a fermé à clé son classeur et nous a fait signe de la suivre.

— Venez avec moi.

Elle se dirigeait vers la chambre de Julie. Emma avait l'air contente d'être là… et moi, l'impression de ne pas avoir beaucoup d'appui dans ma révolte. Lorsqu'on est arrivés devant la porte de la pièce, on a entendu Julie pousser un hurlement de douleur. J'ai agrippé le bras d'Emma.

— Tu vois ? Je te l'avais bien dit, que c'était horrible et épouvantable ! Vite ! Il faut partir d'ici !

Comme si elle ne m'avait pas entendu, l'infirmière a souri et est entrée, suivie d'Emma qui ne m'avait pas plus écouté. Je n'avais pas d'autre choix que d'entrer moi aussi, à mon grand désespoir.

Mon père était au chevet de Julie et lui tenait la main. Il y avait sur place trois docteurs et quatre infirmières. Emma s'est avancée, et Julie l'a vue tout de suite. Elle venait tout juste d'avoir une contraction et elle pouvait parler.

— Emma ! Qu'est-ce que tu fais là ?

Elle lui a souri, ravie. Emma a répondu :

— Bah ! Tu sais bien que les gars ne sont pas faits forts ! Alors j'accompagne ce monsieur !

Julie a commencé à rire, mais sa figure s'est figée d'un coup. Mon père a tout de suite dit :

— Ça va, Julie ! Respire ! Tout va bien !

Ça y est, elle avait une autre contraction. Mon père était de son côté pas mal bon. Il l'encourageait et l'aidait à bien respirer. Ça a duré presque deux minutes et ensuite, elle s'est détendue. Elle était toute rouge et respirait très fort. Emma la regardait, impressionnée. Elle n'avait pas du tout l'air d'être apeurée par la situation. Elle m'a pris la main et a dit doucement :

— Mady et moi, on sera pas loin…

Mon père a hoché la tête. Il était de toute manière concentré sur Julie et semblait déçu que je ne sois pas capable de rester dans la chambre avec eux. Mais il était hors de question que j'assiste à ça ! Il fallait déjà que je pense à ce que j'allais devenir avec ces deux petits monstres dans le décor… et je n'avais pas envie d'en voir plus !

Emma m'a entraîné hors de la chambre.

— Mady... franchement, tu vas rater quelque chose... Tu vas t'en vouloir de pas avoir assisté à leur naissance, tu penses pas ?

J'ai marché dans le corridor sans me retourner.

— Pfff ! Pantoute ! J'veux rien savoir de ça ! De toute façon... qu'est-ce que ça peut bien faire ?

Emma m'a tiré par le bras.

— Voyons ! Tu réagis donc ben ! Ce sont juste des bébés, après tout ! Tu seras pas le premier à avoir un frère ou une sœur.

— Tu peux bien parler, toi ! T'en as pas, de frère ou de sœur !

Elle a souri.

— Ben non... mais j'aimerais ça, je pense... Puddy parle pas beaucoup, lui !

Elle faisait de l'humour, en plus ! Alors, j'ai explosé :

— En plus, t'avais raison ! Quand j'suis arrivé chez mon père, j'avais plus de chambre ! Fini, ça ! Les jumelles ont ramassé le magot ! Pas de cadeau de fête non plus ! Pas de carte ! Et plus de père !

Il y avait un petit salon tout près de la cuisinette. Je suis allé m'affaler dans une chaise à bascule sans coussin, le regard dans le vide. Vide comme ma relation avec mon père.

— Mady...

— Quoi ?

Emma semblait comprendre tout à coup pourquoi j'étais si anxieux et de mauvaise humeur.

— C'est sûrement temporaire, tout ça... C'est comme quand mon père m'achète un nouveau jeu vidéo... Je suis bien énervée, mais ensuite, je redeviens normale.

Elle comparait ma vie à un jeu vidéo ! Ça devenait ridicule, cette histoire !

— J'espère que tu penses pas devenir psychologue, plus tard. Parce que t'as du chemin à faire !

Elle a éclaté de rire.

— Ah ! Je l'sais ! J'fais mon possible !

Je me demandais si faire son possible serait assez, ou s'il ne valait pas mieux que j'appelle ma mère et lui demande de venir me chercher pour ne plus jamais remettre les pieds chez mon père. Après tout, il avait une nouvelle famille, maintenant ! Qu'est-ce qu'il pourrait bien faire d'un gars de treize ans, un ado frustré de se voir mis de côté ? Ahhhh ! J'savais plus quoi penser !

Emma a regardé l'énorme horloge qui se trouvait sur le mur, devant nous.

— Il est presque midi, Mady… On devrait sortir d'ici et aller manger.

J'étais très tenté par une partie de sa phrase.

— C'est vrai, on devrait sortir de l'hôpital et partir pour de bon !

Elle m'a fait signe de me calmer les nerfs.

— Minute, papillon ! On va juste manger un hamburger en face, c'est tout ! On va pas quitter Longueuil pour te venger !

C'est pourtant ce que j'aurais voulu ! Partir à l'aventure, loin des parents et des soucis ! Comme disait ma grand-mère Thérèse, partir pour ne plus revenir. Peut-être que ce serait plus facile comme ça.

Un hamburger, ça replace toujours son homme !

Assis devant un hamburger et une frite, j'étais un peu moins nerveux. L'odeur de la viande et de la sauce spéciale avait quelque chose de bon. Emma a pris une grosse bouchée du sien et a sorti une feuille de son sac à dos.

— Hey ! Changement de sujet ! Ça va faire du bien !

Elle m'a fait un clin d'œil.

— Ma mère m'a donné les choix d'options scolaires, ce matin. As-tu eu le temps de regarder ça un peu ?

Les options… je les avais complètement oubliées, elles…

— Ouais, mais j'ai oublié. Redonne-moi la feuille, j'vais regarder ça.

Emma l'a mise à plat sur la table, entre nous.

— Moi, j'aimerais ça, faire la fin de semaine d'équitation !

Ouais, l'équitation… Je voulais bien être avec elle, mais elle n'y allait pas de main morte, quand même !

— Les chevaux ! Ouais… Ça prend pas une base pour avoir droit à cette activité ?

Elle a haussé les épaules.

— Non… j'pense pas, sinon ce serait inscrit sur la feuille, tu penses pas ?

J'étais découragé. Les chevaux ont une gueule énorme et d'immenses dents jaunes, par-dessus le marché ! Je ne m'en étais jamais approché à cause de ça.

— Bof... je sais pas si ça serait vraiment le fun !

Emma avait l'air tout excitée.

— Mais si, ça sera marrant ! Regarde ! On a juste à mettre nos noms ici ! Ensuite, la femme qui s'occupe des groupes va nous appeler. Tu vois, pas trop compliqué. En plus, c'est juste une journée de fin de semaine ! Moi, mon choix est clair ! Regarde, entre le badminton et le canot en équipe... beurk ! Ou encore l'activité de piscine, alors qu'on n'arrête pas d'y aller ! Non, sérieux, les chevaux, ça sera super !

Qu'est-ce que je pouvais rajouter ? Les filles avaient toujours raison, de toute façon.

— Ok... j'vais y penser !

— Super ! J'suis contente ! Tu vas voir, ça va être super cool !

— Eh, j'ai pas encore dit oui !

Elle m'a souri, les petits yeux doux, avec la tête penchée sur le côté.

— Quand tu dis que tu vas y penser... c'est parce que tu vas dire oui, hein ?

Voyons voir... le crottin... le poil partout... l'odeur de bête... ce programme me réjouissait !

— Hum...

En attendant, de penser aux merveilles de l'équitation m'avait permis d'oublier un peu ce qui se passait de l'autre côté de la rue, dans la chambre 457. Emma a bu une gorgée de liqueur et a ajouté :

— Ah, c'est vrai ! Avec tout ce qui s'est passé, j'avais presque oublié de te le demander. Est-ce que t'as ramené chez toi le collier que tu as trouvé dans le lac avec Louve ?

Louve aventureuse... J'ai eu une pensée pour elle.

— Ben oui ! Cerf argenté m'avait dit que je pouvais le garder, puisque le lac avait décidé de me l'offrir.

Emma a eu l'air songeur.

— Oui, le beau Cerf... Il avait vraiment beaucoup de charme...

Bon ! Une autre qui se pâmait encore....

— Coudonc ! Qu'est-ce qu'il a tant, ce gars-là ?

Je ne voulais pas l'avouer, mais j'étais un peu jaloux de la façon dont les filles réagissaient avec lui. Non mais, c'est vrai ! Je tentais toujours de me peigner un peu, de m'avantager... et lui, il avait les cheveux longs et pas plus peignés qu'il le fallait. Bon j'avoue, il avait un p'tit quelque chose… mais moi aussi, non ?

— Ah… tu pourrais pas comprendre… T'es pas une fille !

Franchement…

— T'es drôle, toi !

Emma a fait un petit sourire en coin.

— C'est qu'il est spécial avec sa peau foncée, son regard noir et ses longs cheveux… On dirait un acteur de cinéma… En plus, il a les dents blanches et…

— Moi aussi, j'ai les dents blanches !

— Mady ! Tu vas pas me dire que… Serais-tu jaloux, par hasard ?

Je me suis caché derrière ma liqueur.

— Ben non…

Elle a éclaté de rire.

— Une chance !

Elle avait raison. Peut-être que je ne comprenais pas, après tout…

— Ouais… Mais pourquoi me demandes-tu si j'ai encore le collier ?

Son visage s'est éclairé.

— Oh ! C'est parce que ma mère voudrait le voir pour l'évaluer !

J'avais oublié que ça mère était archéologue.

— Ah, c'est vrai ! Super bonne idée !

Elle a enfourné une frite en continuant :

— Ouais ! C'est ce que je lui ai dit ! On va peut-être en savoir plus, comme ça !

Bon, sujet clos. On a continué à manger sans rien dire, moi en fixant le papier des choix d'options scolaires, et Emma en regardant les passants dans la rue.

Au bout de quelques minutes, elle a quand même brisé le silence.

— Est-ce que tu étais sérieux, tantôt… je veux dire, à propos des bébés ?

— De quoi ça ?

J'avais tellement dit de niaiseries que je ne savais pas de laquelle elle parlait.

— Ben… quand tu disais que c'étaient de vrais monstres…

— Hum…

C'était à mon tour de regarder les passants.

— Ouais… Je n'ai pas envie d'avoir à m'occuper de deux cauchemars à quatre pattes, c'est tout.

— Mady ! Franchement, j'trouve que t'es chanceux, moi ! En plus, Julie est super fine !

Super fine, mon œil ! C'est pour ça qu'elle avait oublié ma fête et pris ma chambre en otage ?

— Hum…

Emma m'a pris la main. Ce que je ne détestais pas, je dois l'avouer.

— Mady… fais au moins un effort pour apprendre à les connaître…

J'ai soupiré. Je n'en avais vraiment pas le goût.

— On verra.

Elle s'est levée et s'est dirigée vers la poubelle de la petite cantine.

— De toute façon… tu vas pas être trop traumatisé, cette semaine. Julie va rester ici plusieurs jours, et ensuite, tu retournes chez ta mère et c'est l'école.

Bah… Elle avait raison, après tout.

— Ouais, c'est vrai.

— Tu devrais donc attendre que Julie accouche et ensuite revenir avec moi… Ma mère te ramènera chez toi. Comme ça, ta mère sera pas obligée de venir te chercher et ton père aura pas à s'occuper de toi. J'pense pas qu'il en aurait le temps, de toute façon.

— Ça, c'est sûr. Et pour longtemps !

— Mady ! Arrête donc de te plaindre !

De retour à l'étage de la douleur

Bien assis dans une des berceuses du petit salon de l'hôpital, je regardais Emma qui jouait avec une de ses couettes de cheveux.

— T'es drôle quand tu fais ça !

Elle a souri timidement en laissant tomber sa boucle de cheveux. Finalement, cette aventure à l'hôpital me permettait d'être avec elle, un peu comme avant…

— Ouais… qu'est-ce qu'on fait, là ?

Je ne savais pas trop comment faire pour rendre la situation intéressante. Il faut dire que dans un hôpital, il n'y avait pas grand-chose à faire, en dehors d'avoir mal quelque part.

— C'est donc ben long, accoucher !

Emma m'a lancé un petit coussin qui traînait à côté d'elle.

— Niaiseux, va… Ce serait bien moins long si on allait voir ce qui se passe dans la chambre !

Elle s'essayait encore !

— Pas question !

— Bon... Hey, c'est vrai ! J'ai amené mon nouveau iPod !

Enfin quelque chose de stimulant !

Emma a fouillé dans son sac à dos et en a sorti son appareil.

— Wow ! Il est beau en titi !

Elle m'a passé un écouteur et s'est mis l'autre dans l'oreille.

— On pourrait écouter un peu de musique, qu'est-ce que t'en penses ?

J'étais plus que partant ! D'autant plus que le fil était très court, alors il fallait que je me rapproche beaucoup d'Emma pour écouter. Bon, j'avais moi aussi mon propre iPod dans mes affaires... mais pas question d'en parler !

Elle était assise sur une espèce de chaise berçante.

— Oui ! C'est une super bonne idée, mais où je m'assois ?

Elle a tapé de la main sur sa chaise... la même chaise qu'elle occupait...

— Tu veux qu'on s'assoie tous les deux sur la même chaise ?

J'étais super content mais, avec les filles, il fallait être prudent !

— Ben non ! J'veux que tu te fasses une place à terre, là ! Juste là !

Elle se payait ma tête, bien sûr.

— Non, mais je sais pas ! Je demandais pour être certain, c'est tout !

Elle m'a souri et m'a tendu un écouteur. Je me suis assis à côté d'elle. On était bien collés sur la chaise. Un parfum de lavande planait autour d'elle lorsqu'elle s'est penchée pour remettre son sac à dos par terre. Elle sentait vraiment très bon.

— J'vais te faire découvrir de la musique que mon père écoutait quand il était jeune. Tu vas voir, c'est bon ! Ça fait drôle, d'écouter ça !

Elle a monté le volume, et la musique a commencé. C'était cool, mais je ne connaissais pas. Je n'avais jamais entendu ça.

— Ouais ! Ton père était pas mal plus bizarre que ma mère ! Y'a pas mal de guitare électrique là-dedans !

Elle a éclaté de rire, et je lui ai mis la main sur la bouche. Elle avait oublié qu'on était dans l'hôpital. Mais dès que ma main a touché son visage, mon cœur s'est accéléré. Je n'étais vraiment pas guéri de notre histoire.

Emma me mettait encore dans tous mes états. J'avais des papillons dans le ventre.

— Oups ! T'as raison, je parle ben trop fort ! Ils vont nous expulser !

Je me suis contenté de sourire. De toute façon, j'étais encore troublé...

— C'est quoi, cette musique-là ?

Elle a regardé le titre de la chanson. Il était évident qu'elle n'avait pas encore l'habitude de l'écouter. C'était peut-être pour m'impressionner un peu qu'elle m'avait mis la musique la plus métal que son lecteur contenait.

— Bah ! C'est du Jimi Hendrix... enfin... ouais, c'est ça qui est marqué.

— Ouais... un peu énervé, notre Jimi !

Elle a rigolé en tapant du pied.

— C'est mieux qu'entendre des femmes qui hurlent !

Emma s'est penchée de nouveau pour ramasser son sac.

— Regarde...

Elle a de nouveau sorti la feuille des options scolaires.

— Allez, viens donc au cours d'équitation !

Elle insistait lourdement ! J'avais encore de la misère à croire que j'allais me vautrer dans le crottin de cheval…

— Pourquoi tu veux absolument aller à labas ? Me semble qu'on vient juste de finir toute une expérience dans l'bois, avec les insectes piqueurs pis les ours mangeurs d'hommes ! T'as le goût de te garocher dans une autre aventure risquée ?

Elle a froncé les sourcils.

— De quelle aventure risquée tu parles ?

— Ben, d'un cheval, d'une bête de presque une tonne qui décide quand il veut qu'il ne veut plus te garder sur son dos ! En plus quand ça arrive, t'as pas grand-chose que tu peux faire !

Elle a soupiré.

— Tu dis vraiment n'importe quoi !

— J'en suis pas si sûr !

— Penses-tu qu'ils vont nous faire monter sur des étalons pas domptés ? C'est certain que les chevaux seront pas dangereux !

— Pfff ! Moi, j'en suis pas si certain. Pensais-tu qu'il y aurait des ours au camp, toi ?

Elle a mis à plat la feuille sur le dossier de la chaise et a sorti un crayon.

— Ben moi, j'y vais, que tu me suives ou non !

Qu'est-ce que je pouvais donc faire ? Je n'avais vraiment pas envie d'aller me promener dans une écurie pleine d'allergènes, de poils et de m... mais je voulais tellement être avec elle...

— Bon, ok, t'as gagné !

Elle a applaudi comme une petite fille de cinq ans et m'a passé la feuille.

— Regarde, là ! Ça a l'air le fun !

Le cheval en photo avait l'air blessé et vieux.

— En tout cas... J'espère que ce sont pas tous des vieilles biquettes comme celle-là ! Regarde-lui le dos ! Il est tout creusé !

Elle m'a arraché la feuille des mains.

— T'es nono !

Quatre heures plus tard...

— J'en peux plus d'attendre... Je sais pas pour toi, mais moi, je retourne voir dans la chambre !

Décidément... Je n'avais aucune envie d'aller me mettre la face là... mais c'est vrai qu'on avait épuisé tous les sujets de conversation possibles.

— Me niaises-tu ?

— Non ! Hey, ça fait long longtemps ! J'veux savoir si tout va bien, au moins. Allez, viens donc !

Emma s'est levée et m'a tiré par la manche.

— Ah ! Attention aux écouteurs, tu vas les briser !

J'ai enlevé celui qui pendait à mon oreille. Elle s'était levée si brusquement qu'il avait sauté.

— Attends...

— Dépêche-toi ! J'en ai marre de rester assise !

Moi, au contraire, j'étais bien collé sur elle. Je serais resté là longtemps encore.

— Ok...

Je ne pouvais pas croire que j'allais retourner dans la chambre de l'horreur, mais c'est pourtant ce que je m'apprêtais à faire. J'ai suivi en marmonnant la petite peste blonde qui marchait devant moi. Emma sautillait pour se dégourdir les jambes. Et moi, j'avais envie de partir à reculons.

— Tu devrais faire attention !

Elle m'a fait un clin d'œil et s'est immobilisée devant le numéro 457.

— Allez, Mister Ronchon, viens…

On entendait des petites plaintes, mais ça semblait être plus calme que quand on était venus plus tôt. Emma a poussé la porte et est entrée doucement. Mon père s'est retourné et a semblé très content de nous voir. Il a chuchoté en me voyant :

— Viens voir, Mady!

Je n'avais pas remarqué que dans ses bras, il y avait un petit tas de couvertures. En fait, ce n'était pas juste du linge… mais quelque chose avec une petite main à la peau très rose et qui émettait une légère plainte.

Emma a sautillé comme une gamine.

— Ah ! Y'en a une de née, yé !

L'infirmière nous a dirigés vers mon père. Julie était toujours avec les docteurs… Mais où était l'autre bébé, d'abord ?

— Ça va, Mady… Il faut que mon autre bébé se place et il va naître aussi, ne t'en fais pas.

Je ne comprenais pas vraiment ce qu'elle voulait dire, mais je supposais que c'était comme ça que ça se passait.

Un des docteurs observait attentivement un moniteur, pendant qu'un autre passait un appareil sur le ventre de Julie et qu'un autre encore appuyait dessus pour, disait-il, stabiliser le bébé qui n'arrêtait pas de tourner. Ça avait l'air de faire mal… Julie grimaçait, mais chaque fois qu'elle posait les yeux sur mon père et sur son paquet de couvertures, ils s'adoucissaient…

Mon père était de son côté déjà bien occupé à montrer son petit trésor à Emma, qui n'en revenait pas.

— Elle est minuscule !

Il lui a fait signe de s'asseoir sur le petit divan-lit au fond de la chambre.

— Regarde… Assis-toi ici, je vais te la donner. Tiens-la bien, ok ?

Emma avait les yeux ronds.

— Oui ! Pas de problème ! Merci !

Moi, j'étais incapable de bouger. Ahhhh ! Un des monstres était né, je le voyais concrètement ! Emma m'a invité à m'asseoir près d'elle sur le divan. J'avais l'air d'un robot tellement j'étais dans les vapeurs du stress.

Mon père m'a souri.

— Elle est belle, hein ?

Emma a répondu à ma place.

— Oh oui, elle est trop marrante ! Elle toute minuscule ! Trop belle !

Peine perdue de mon côté, je n'arrivais pas à faire semblant. Les larmes me montaient aux yeux, et j'avais de plus en plus de difficulté à les retenir. Mon père l'a remarqué et m'a frotté le dos.

— Ça va aller, fiston ! Je sais, c'est émouvant… C'est un très beau moment !

Mon père n'avait encore rien compris. J'avais le cœur à l'envers et j'étais complètement désespéré ! Et comme d'habitude, il ne voyait rien… toujours la même histoire…

— Papa… je… vais aller aux toilettes…

Emma m'a fait des yeux suppliants qui semblaient me dire : « Allez, essaie un peu… Regarde-la, au moins. » Mais je n'en étais pas capable. Je me sentais rejeté… et c'était la faute de cette chose dans la couverture.

Je me suis donc levé et j'ai marché sans regarder personne jusqu'à la salle de bains, au fond de la pièce. J'y suis entré et me suis jeté sur le comptoir pour pleurer comme une Madeleine. Je n'aurais pas cru… je n'aurais jamais pensé que je le prendrais si mal.

Je me sentais seul et, pour moi… mon père était parti… il avait maintenant une nouvelle famille et je n'étais plus nécessaire…

Le miroir me projetait mon reflet, et ce que j'ai vu m'a donné un coup au cœur. Pourquoi est-ce que j'étais là, à pleurer comme un veau ? Quelque part en moi, j'en avais assez d'être aussi sensible. C'est vrai, ce serait super de tout prendre à la légère et de ne jamais réagir. J'imagine que c'est ça, grandir. Vivre une série d'émotions, des tristes comme des joyeuses. Mais je trouvais que la vie s'acharnait un peu trop sur mon cas, depuis un an !

Il y avait de petites débarbouillettes blanches au bord du bain. J'en ai mouillé une et je me la suis passée sur le visage. J'avais les yeux en feu et j'étais pas mal magané. J'ai pleuré encore un peu, puis me suis assis sur le couvercle des toilettes. Je ne pouvais pas sortir d'ici dans cet état.

Retour au bercail

J'ai fini par sortir de la chambre de bains. Il n'y avait rien à faire avec mes yeux. Ils avaient l'air de deux hot-dogs steamés, pas de doute.

— Allo, Mady ! Ça va ?

Mon père tentait de me réconforter très maladroitement.

— Oui…

Je suis allé m'installer tout près d'Emma sur le divan. Le deuxième bébé était né pendant ma crise dans la chambre de bains. Julie le tenait dans ses bras, toute ravie et les yeux dans la graisse de bine. Elle avait l'air très fatiguée, mais heureuse. Dehors, le soleil se couchait.

Emma a posé sa tête sur mon épaule.

— Tu verras, Mady… tout va bien se passer.

Je n'ai pas répondu. Je me suis contenté de passer mes deux mains dans ma tignasse rousse.

— Hum…

La dernière infirmière qui quittait la pièce a dit à Julie :

— Nous allons vous porter un plateau de nourriture, madame. Il est temps de se nourrir un peu ! Essayez de leur donner le sein, d'accord ?

Puis, mon père s'est tourné vers nous.

— Voulez-vous aller vous chercher quelque chose au resto ?

Personnellement, je n'avais pas du tout faim. Emma l'a lu sur mon visage.

— Non, vous en faites pas. J'pense que je vais appeler ma mère… Il est pas trop tard, elle va venir me chercher…

Elle m'a alors regardé.

— Je me demandais d'ailleurs… Est-ce que vous accepteriez que Mady vienne coucher à la maison ?

Ah, enfin ! Emma avait vu toute la rage que j'avais en dedans. Mon père lui a répondu en souriant :

— Mais oui ! De toute façon, tu ne dois pas tenir à rester ici, toi, hein ?

Il osait me le demander, en plus !

— Non, t'as raison…

Julie me regardait avec tendresse depuis son lit. Peut-être avait-elle compris, elle.

— Je voudrais bien que tu restes, mais je suis conscient que pour un gars de ton âge… il n'y a pas grand-chose à faire ici !

Wow ! Quelle belle prise de conscience de sa part… Dommage que la raison majeure n'était pas ce que je pouvais bien penser ou ressentir…

En voiture

Je me suis assis sans rien dire sur la banquette arrière de la voiture du père d'Emma. C'était lui qui était venu nous chercher, finalement. Il n'était lui-même pas très bavard. On a beau grandir, même quand on a son âge, on doit vivre des choses qui nous mettent dans tous nos états. Bref, il avait l'air aussi amoché que moi, sans doute à cause de ma mère.

— Je vais m'arrêter au service à l'auto d'un petit resto vous prendre quelques petites affaires, ok ?

Emma s'est frottée le ventre.

— Hum ! Oui ! J'ai tellement faim !

Elle s'est penchée vers moi pour me taquiner un peu.

— Allez, change de face ! On s'en va, là ! Tu devrais appeler ta mère !

Elle avait raison… Je n'avais pas le choix, il fallait que je passe chercher un pyjama et tout le bazar qui me manquait, parce que la plupart de mes choses étaient demeurées chez mon père.

— Ok. Passe-moi donc ton cell.

Je n'ai pas eu à attendre trop longtemps au bout du fil. Ma mère a paru surprise.

— Mady ?

— Ouais…

J'ai senti de l'inquiétude dans sa voix.

— Où es-tu ? Qu'est-ce qui se passe ?

Je suis allé droit au but.

— Julie vient d'accoucher… Écoute, je suis avec Emma en voiture, je retourne à la maison.

— Oh…

— Je vais passer chercher quelques trucs, Emma m'a invité à venir coucher chez elle ce soir.

Elle a soupiré.

— D'accord, pas de problème… Ça va te faire du bien… Ça va bien se passer, mon chéri.

Ça, c'était ma mère tout craché. On était juste au téléphone et elle savait que je n'allais pas bien.

— Merci m'man... Dis, tu veux bien me préparer mon sac ? J'veux pas faire attendre Mathieu trop longtemps.

— Ah, c'est Mathieu qui...

Pauvre maman... Je n'y avais pas pensé. Elle avait encore de la difficulté avec leur séparation... c'était normal, j'étais maladroit.

— Oh, euh... excuse-moi... oui...

— Pas de problème, mon grand. Je te prépare ça et vous attends.

Découragement...

J'ai pas mal réfléchi tout au long du trajet. Mettons que j'avais le moral pas mal bas. Mathieu ne m'a pas posé trop de questions, et j'imagine que c'était beaucoup mieux comme ça.

— On arrive bientôt ! a-t-il lancé à un moment.

Emma m'a poussé légèrement en me souriant. Mais je n'avais vraiment pas le cœur à la rigolade. Je crois qu'elle savait que les prochains jours seraient pénibles et qu'elle allait devoir me ramasser à la petite cuillère. Je me suis donc contenté de sourire bêtement et de regarder par la fenêtre le paysage qui défilait. Le problème, c'est que je ne le voyais pas... Dans ma tête, c'est le petit tas de couvertures que je voyais... celui dont la petite main rose était sorti. J'ai secoué la tête pour me changer les idées... inutile.

— J'ai hâte qu'on arrive !

Mathieu est arrivé au même instant au coin de ma rue.

— On y est !

J'ai été le seul à débarquer de la voiture. Maman a ouvert la lumière du perron et Mathieu a détourné la tête. J'étais certain qu'il aimait encore ma mère... Qu'est-ce que les adultes se compliquaient la vie, c'était vraiment bête ! Mais j'avais d'autres soucis que ceux-là à régler pour le moment.

— Je reviens !

J'ai monté les marches quatre à quatre et me suis retrouvé face à ma mère, qui me tendait mon sac avec tout ce dont j'avais besoin. Elle n'avait pas perdu de temps.

— Ah, ok ! Tout est déjà prêt !

Elle m'a fait un gros câlin.

— Oui, mon p'tit cœur... Maintenant, essaie de bien dormir ce soir... Tu as l'air amoché...

J'ai tenté de faire un petit sourire en coin.

— Allons, mon fils... Tu vas voir que tu vas t'habituer...

Je n'ai rien répondu. Seul l'avenir me le dirait. J'avais un peu plus de sagesse qu'avant et j'avais compris que, dans la vie, on peut tout le temps tomber sur des surprises, bonnes ou mauvaises. Il fallait rester ouvert... Enfin, c'est ce que j'avais compris au camp... mais rester ouvert, c'était parfois très difficile.

— Bon, je m'en vais, maman... je reviendrai demain à pieds... sûrement avec Emma.

— Parfait, alors dors bien ! Ne te couche pas trop tard, ok ?

Elle a jeté un coup d'œil rapide à la voiture pour voir si Mathieu regardait dans sa direction, mais elle a vite détourné les yeux, toute triste. En voyant ça, je suis retourné dans la voiture en pensant que, ma mère et moi, nous vivions toujours des situations compliquées. Non mais, c'est vrai ! Il fallait que je comprenne pourquoi c'était toujours négatif. Était-ce de notre faute ? Ou bien peut-être que c'était ma façon de comprendre les choses ?

J'ai embarqué dans la voiture avec un air de zombi. Emma m'a secoué les puces.

— Hey ! Préfères-tu aller dormir tout de suite ?

Il devait être à peine huit heures du soir.

— Ben non… arrête… j'vais m'replacer !

Elle a souri et j'ai attaché ma ceinture pour le peu de route qui restait à faire. Presque deux minutes plus tard, son père a garé sa voiture dans l'entrée de sa maison. Emma est sortie la première et est allée voir Puddy dans sa niche. Je l'ai suivie sans penser au reste. Le père d'Emma s'est occupé de rentrer nos sacs, et on s'est retrouvés bien vite seuls dehors, sous la lune.

Mon amie s'est penchée pour flatter vigoureusement Puddy qui, lui, était aux anges. Il s'était ennuyé toute la journée, le pauvre.

— Ah oui, mon beau Puddy ! T'es beau, hein ? Ben oui !

Il se tortillait comme un ver.

— Il est drôle… J'te dis qu'il n'a pas beaucoup à s'inquiéter, lui !

Emma a soupiré.

— Tu devrais suivre son exemple… Qu'est-ce qui t'oblige à t'en faire autant ?

Elle avait raison. Je me posais moi aussi cette question.

— J'sais pas... J'veux dire que je n'arrive pas à m'y faire !

Elle a levé les yeux au ciel et s'est arrêtée de bouger.

— Wow ! Regarde comme c'est beau !

— Quoi ça ?

Je ne filais pas trop « regardons le ciel », ce soir.

— Ben, la Grande Ourse ! Regarde les étoiles, Mady. Tu sais, quand ma mère est revenue... je me suis dit que malgré tout ce qui se passait... même si je braillais toutes les larmes de mon corps... elles, les étoiles... elles bougeaient pas, elles restaient toujours aussi belles, aussi loin... Enfin, je veux dire que rien peut les toucher, elles sont indestructibles.

J'ai regardé à mon tour le ciel attentivement... la Grande Ourse... ça m'a rappelé Cerf argenté. J'avais le cœur gros. Les étoiles étaient très belles et le ciel dégagé... mais en dedans, je me sentais vide. Ours guerrier, mon nom totem, a alors résonné dans mon corps, et la voix de Cerf aussi. Elle avait réveillé quelque chose en moi, cette Grande ourse...

— Tu sais, rien ne nous empêche d'être comme elles !

J'avais parlé sans réfléchir.

— Qu'est-ce que tu veux dire ?

On aurait dit que bizarrement, je retrouvais tout à coup une force que j'avais perdue… une force que mon nom totem me donnait quand j'étais au camp. Je n'avais qu'à penser à Cerf argenté et à tout ce qu'il m'avait dit dans le bureau quand on était tous les deux, pour que du courage vienne rallumer mon cœur. Il avait raison… J'avais le courage des grands guerriers ! Et j'allais affronter cette épreuve ! J'en étais capable !

— Je vais me prendre en main. Je veux plus être une victime !

Emma a souri.

— C'est certain que la vie serait plus facile comme ça… Il doit bien y avoir un peu de positif à avoir des sœurs jumelles, non ?

Personnellement, je ne le voyais pas vraiment encore, mais j'allais essayer. J'allais tenter ma chance.

— Je crois que je veux essayer de comprendre. Je suis prêt à faire un effort, en tout cas.

Elle s'est penchée pour regarder Puddy, qui reniflait nos vêtements.

— Qu'est-ce qui t'a fait changer d'idée comme ça ? Tu m'étonnes...

J'étais aussi surpris qu'elle.

— Je sais pas. J'ai pensé à quelqu'un à qui je dois faire honneur.

Elle a plongé son regard dans le mien.

— J'suis fière de toi, Mady.

Premier jour à l'école... et premier jour de classe catastrophique

La semaine suivante chez ma mère n'a pas été trop pénible. Papa m'a appelé tous les soirs pour me parler de Julie et de mes sœurs. J'ai tenté de mettre mes sentiments hostiles de côté et de lui donner une chance. J'espérais qu'il ne la gâcherait pas.

J'étais maintenant assis dans l'autobus, et la porte s'est ouverte sur Emma, suivie par Stéphanie.

— Mady !

Emma s'est jetée sur mon banc. Stéphanie, de son côté, m'a fait un regard qui en disait long sur ses nouveaux sentiments pour moi et est allée s'asseoir au fond de l'autobus. J'ai poussé un soupir de soulagement. Cette fois-ci, elle avait bien compris, mais je me demandais quand même pourquoi elle prenait l'autobus, vu qu'elle restait juste devant l'école. Bah ! Peut-être avait-elle couché chez une copine.

— Hey, le rouquin !

Je suis resté figé sur place. Ça faisait longtemps qu'on ne m'avait pas parlé comme ça.

— T'es pas vite pour répondre, à matin ! Coudonc, t'as-tu un torticolis ? Tu te retournes pas quand on te parle ?

La voix venait du fond de l'autobus... Il n'était pas trop difficile de savoir que c'était moi, le rouquin. Il n'y avait pas d'autres gars qui avaient eu cette chance à la naissance.

Je me suis finalement retourné et j'ai vu un cauchemar. C'était un des anciens chums d'Édouardo qui me narguait du fond de l'autobus. Et le pire, c'était que Stéphanie était assise avec lui et lui tenait la main ! Je n'en revenais pas !

— Qu'est-ce que tu veux ?

— J'voulais juste savoir si t'avais vu l'pot de graisse ?

Le pot de quoi ? Soudain, j'ai compris qu'il parlait sûrement d'Édouardo et de ses cheveux... Steeve n'avait pas apprécié le changement de comportement de son ami, de toute évidence. Il n'avait pas bien pris le fait qu'Édouardo et moi, nous nous étions réconciliés.

— Ferme-la, si t'as rien à dire !

Il m'a alors fait un doigt d'honneur, celui que personne ne veut regarder. J'ai senti la rage monter en moi. Moi qui pensais en avoir fini avec tout ça, voilà que ça recommençait de plus belle ! J'ai serré l'attache de mon sac si fort que mes jointures sont devenues blanches. Emma a posé sa main sur les miennes pour me calmer.

— Arrête, Mady… Ça sert à rien…

— Je sais… mais moi qui pensais que l'école serait plus facile cette année, j'me suis gouré !

Emma s'est retournée et a lancé :

— Espèce de gros plein d'soupe ! Tu penses que tu vas nous faire peur ? T'as du chemin à faire, le comique !

Furieux, Steeve a lancé de toutes ses forces son cartable dans sa direction. Heureusement, celui-ci s'est écrasé dans l'allée de l'autobus, à notre hauteur.

— Ferme-la, petite…

Au même moment, le chauffeur d'autobus s'est arrêté, et Édouardo est entré dans l'autobus. Steeve était aux anges, son nouveau bouc émissaire venait d'arriver ! Cheveux pleins de gel coiffant, chemise déboutonnée, veston en jean troué… Ouais, c'était bien lui.

Il nous a fixés, Emma et moi, le sourire fendu jusqu'aux oreilles. Emma m'a chuchoté dans l'oreille :

— On va assister à la loi du retour ?

J'ai haussé les épaules.

— Qu'est-ce que tu veux dire ?

— Ben… C'est clair que Steeve va lui faire passer un sale quart d'heure ! Comme il t'en a déjà fait passer…

— Ouais…

Je n'avais pas envie que mon nouvel ami endure ça. Je me suis donc dit que j'allais le défendre.

Justement, la guerre commençait. Steeve a crié :

— J'te dis que t'aimes ça, les mauviettes, toé !

Édouardo s'est retourné, surpris, tout en s'asseyant à côté de nous. J'espérais que le bus arriverait à l'école le plus vite possible.

— C'est à moi que tu parles ?

Steeve a croisé ses bras contre sa poitrine et a souri méchamment.

— Si tu veux te tenir avec eux autres, oui ! C'est à toi que je parle, alors !

Cet idiot a posé les yeux sur moi et j'ai soutenu son regard. Edouardo a répondu :

— Ouais ! Ça s'adonne que c'pas encore toé, mon père ! J'vas faire ce que je veux, l'grand, ok ?

En fait, c'était bien ça, le problème. Steeve était pas mal plus grand que nous. Il avait déjà redoublé... et il devait me dépasser d'au moins deux têtes !

— Correct ! Tu veux te tenir avec les faibles ? C'est toé qui décides, maudit traître !

Les faibles ! Je détestais ce mot.

— Le monde avec qui j'me tiens, ça te regarde pas !

Steeve a eu un sourire narquois.

— C'est ce qu'on verra, gros bêta !

Édouardo s'est assis et a fixé ses espadrilles un instant. Je me demandais comment il allait réagir à cette attaque verbale de son ancien ami. Allait-il se retourner à nouveau contre moi ? Ou bien avait-il été vraiment sincère ? Notre nouvelle amitié se jouait maintenant. Ou bien il allait céder et retourner avec Steeve, ou bien il allait l'affronter comme je l'avais fait moi-même pendant des années.

Eh bien, Édouardo est resté calme et m'a souri.

— Y pense qu'il m'fait peur ! Y'a des croûtes à manger !

Il devait nous rester cinq minutes d'autobus à faire. Je lui ai pointé son bras.

— Pis, comment ça va, de ce côté-là ?

Il a mis sa main dessus. On aurait dit que le seul fait d'en parler nous ramenait tous les deux dans le bois avec l'ours. Nous n'étions plus les mêmes gars, c'était clair. Mais je devais savoir... enfin, je ne savais pas encore si Édouardo serait un ami fidèle.

— Tu sais, Mady... J'oublierai jamais ce qui s'est passé là-bas... J'ai changé, t'sais. Je veux repartir sur de nouvelles bases. Pour répondre à ta question, ouais, ça va beaucoup mieux.

On voyait à travers son chandail les marques rouges laissées par les griffes de l'animal.

— Ça veut dire que je peux compter sur toi ?

Emma était suspendue à ses lèvres presque autant que moi. J'avais peine à croire que j'avais cette discussion avec lui. On avait réglé nos problèmes, c'était super !

— Oui, c'est vrai ! J'suis de votre côté, et plus jamais j'vas laisser quelqu'un vous écœurer !

Il ne fallait quand même pas qu'il devienne notre garde du corps. Ce n'était pas vraiment la relation que je voulais avoir avec lui.

— Bah ! Tu sais, Édouardo… je veux juste que tu sois mon ami, pas que tu tues pour moi.

J'ai regardé Emma.

— Enfin, je veux dire, notre ami. Je veux pas que tu te battes avec Steeve pour nous. Juste qu'on puisse tout partager, tu comprends ?

Il a semblé surpris. C'était clair qu'il ne connaissait pas vraiment grand-chose à l'amitié. Tout ce qu'il s'avait, c'était comment agacer les autres et faire le fanfaron. Il allait falloir lui apprendre comment agir autrement.

— J'comprends pas pourquoi tu me dis ça ! Tu veux pas que je te défende quand il va te niaiser ?

J'étais rendu à un stade où je devais prendre ma place. On ne pouvait pas toujours avancer aussi confortablement qu'on le voulait, je l'avais bien compris. Quelquefois, il fallait vivre des choses désagréables pour en voir arriver d'autres très belles. Par contre, en ce qui concernait les jumelles… je cherchais encore le très beau. Mais ça, c'était une autre histoire….

— Ben non… J'aimerais mieux me défendre tout seul. Pas que je n'ai pas confiance en toi, mais je veux dire…

— Hey, les moumounes ! Il est confortable, le banc ?

Steeve tentait par tous les moyens de nous faire rager ! Tanné, le chauffeur a stationné l'autobus et s'est levé. Il était très rare qu'il intervienne, mais je crois que là, il en avait vraiment marre.

— Ok ! Là, vous allez prendre une petite pause d'insultes, ok ? Vous êtes arrivés à l'école, mais rien ne m'empêche de rentrer avec vous autres à l'intérieur pour avoir une discussion avec votre directeur ! Vous commencerez pas l'année comme ça !

Le silence a envahi l'autobus. On aurait pu entendre une mouche voler.

— J'ai décidé que si tu fais de nouvelles menaces, Steeve…

— Ouais !

Steeve lui répondait d'un air plus qu'effronté !

— … tu paierais les conséquences qui s'imposent ! As-tu bien compris ?

Cette face de bœuf a détourné le regard, et Stéphanie, qui était toujours assise à côté de lui, avait les joues rouges comme du feu. Il était clair qu'elle n'était pas habituée à ce genre de situations. Emma s'est penchée vers moi.

— Notre Steph s'énerve pas à peu près, hein ?

Le chauffeur a soupiré et a ouvert la porte de l'autobus pour nous laisser sortir.

— Pas de bousculade, d'accord ?

Emma, Édouardo et moi avons été les premiers à descendre. Édouardo a regardé plusieurs fois derrière nous. Je lui ai mis la main sur l'épaule.

— Écoute… laisse-le faire, ok ? Ignore-le.

Premier cours : éducation physique… Un debut pas mal raide !

Je n'avais pas encore fini de me changer que le sifflet de notre professeur d'éducation physique, notre cher monsieur Jean, a retenti dans le gymnase. Édouardo m'a tiré par le bras.

— Vite ! On va être obligés de faire deux tours de plus si on n'arrive pas !

En effet, notre professeur adoré… adorait nous faire suer comme des bêtes ! Et quand quelqu'un était en retard, il n'avait aucune pitié. Les autres étaient déjà en train de s'échauffer en faisant le tour du terrain en courant. Quand je dis « les autres », je dois préciser que notre cher Steeve et son chum Marco y étaient aussi. Ils n'arrêtaient pas de singer dès que monsieur Jean avait le dos tourné.

— Bon ! Deux retardataires ! Deux tours de plus, mes amis !

Édouardo a fait la moue.

— J'te l'avais dit ! Y'en manque pas une !

J'ai pris ma pompe pour l'asthme et ai commencé à jogger moi aussi. Je ne détestais pas le sport, mais j'avais toujours eu l'impression que le sport, lui, ne m'aimait pas. Bref ! Je faisais un effort surhumain pour que monsieur Jean ne voie pas mon manque d'entrain.

— Allez, bande d'endormis ! On va dégourdir ça, ces petites jambes-là ! On n'est plus en vacances !

Comme si on ne le savait pas... Il était comme ça, monsieur Jean, il aimait bien faire la morale à tout le monde. Personnellement, je le trouvais pas mal fatigant.

— Mady !

Emma avait commencé à dribler avec un ballon de basket, car il semblait qu'aujourd'hui, on allait jouer à ce jeu stupide ! Je détestais vraiment courir sans but.

— Attrape !

J'ai attrapé le ballon juste à temps. L'effet de surprise passé, j'ai driblé un peu moi aussi et je l'ai envoyé au hasard derrière moi. Malheur ! Marco, qui avait, disons-le... des problèmes de poids, ne l'avait pas vu... et il est arrivé un drame.

— Attention !

Mais il était trop tard. Marco tombait déjà les quatre fers en l'air... et avec très peu d'élégance. Tout ça à cause de mon ballon. Édouardo, qui n'avait pas perdu son côté espiègle, s'en est alors donné à cœur joie, c'était plus fort que lui.

— Et c'est un abat !

J'étais tenté de rire... mais je savais que si je le faisais... j'aurais Marco sur le dos jusqu'à la fin des temps.

— Espèce de stupide face de pet !

Monsieur Jean est intervenu :

— Marco ! Qu'est-ce que c'est que ce langage ordurier ? Tu veux bien te relever, oui ?

Il l'a fait avec peine pendant que je continuais à courir après les lignes du gymnase... En fait, j'avais l'impression de tourner en rond pour rien. J'avais en fait peur de passer près de lui. Marco m'a d'ailleurs lancé un regard qui en disait long sur ses intentions. Mais je n'avais quand même pas fait exprès de le faire tomber !

— Je m'excuse... ai-je quand même lâché en passant à côté de lui.

Au moins, j'aurais essayé.

— Pauvre épais ! Laisse faire... tu vas voir...

J'avais vraiment un don pour m'attirer les ennuis. La poisse me collait aux fesses. Ce devait être de naissance.

Monsieur Jean a alors dit :

— Ok ! Vous allez vous mettre face à face et vous lancer le ballon ! Je veux que tout le monde s'échauffe bien les épaules avant de disputer une partie ! Allez !

Emma s'est installée en face de son amie Josée et moi, en face d'Édouardo. Marco, lui, s'est mis à côté d'Emma avec, en face de lui, Steeve. Ce n'était pas très inspirant.

J'avais d'ailleurs raison de m'inquiéter, car dès que le professeur s'est retourné pour regarder l'horloge et donner le coup de sifflet du début de l'échauffement, Marco a lancé de toutes ses forces son ballon de basket sur le nez d'Emma.

— Emma ! ai-je tout de suite crié.

— Ahhh ! Ouch ! Ayoye...

Son nez saignait à grosses gouttes. Monsieur Jean est arrivé en trombe.

— Bon, ça commence bien ! Qui t'a lancé ça ?

Steeve riait, et Marco faisait son innocent. Édouardo est intervenu avant moi en pointant son ancien chum.

— C'est lui, je l'ai vu ! Il l'a fait exprès !

Monsieur Jean a froncé les sourcils. C'était bien le même Édouardo qui dénonçait un de ses copains ? Le professeur avait l'air vraiment surpris.

— Hum... comme je ne l'ai pas vu, tu dis qu'il l'a fait exprès ?

Édouardo a insisté.

— Oui, monsieur Jean ! Il voulait lui faire mal !

Pendant que tout ce beau monde s'obstinait, on oubliait le principal : aider Emma. Je suis allé la voir et lui ai demandé :

— Ça va ?

Elle avait la bouche pleine de sang...

— On dirait que j'ai reçu une tonne de briques sur la face… Ouach, c'est dégueu. Ahh ! J'ai mal au nez !

Je ne voulais pas l'alarmer, mais son nez était sûrement cassé, parce qu'il était pas mal de travers. J'ai alors senti une vague de fureur m'envahir. Elle montait dans ma poitrine, et j'avais toutes les misères du monde à la calmer. Et même si je m'étais juré de ne plus perdre le contrôle comme je l'avais déjà fait… c'était trop pour moi.

Je me suis donc retourné vers Marco, qui riait comme un singe, et je me suis lancé sur lui en lui flanquant un coup de poing dans le ventre. On aurait dit qu'il allait se dégonfler comme une grosse balloune. Les filles criaient, et j'avais Steeve sur le dos qui me frappait par derrière. Édouardo s'en est mêlé, et la dernière chose dont je me souviens… ça a été l'énorme tête de Marco qui se fracassait contre mon crâne.

Réveil brutal à l'infirmerie…

Juste à côté de moi, Emma pleurnichait et se lamentait en attendant que son père ou sa mère viennent la chercher… enfin, j'imagine. L'infirmière s'est retournée vers moi.

— Bon ! Te voilà de retour parmi nous, toi !

Comment, de retour parmi nous ? Était-elle en train de me dire que je m'étais évanoui comme une fille ?

— J'ai… perdu conscience ?

Elle a semblé très en colère.

— Eh bien, c'est ce qui arrive quand on reçoit un coup à la tête comme ça ! C'est ni plus ni moins qu'une commotion, mon grand ! J'ai appelé ta mère, elle vient te chercher.

Ma mère ? Alors là, je n'étais, disons-le, pas trop fier de moi. Qu'est-ce qu'elle allait faire ? Sûrement me punir, tout d'abord. J'avais encore une fois perdu les pédales face à deux rigolos et j'allais en assumer les conséquences.

— Ouch… j'ai mal à la tête…

Emma s'est tournée vers moi. Elle n'avait plus de nez, mais un énorme chou rouge à la place. Elle était dans un sale état, ça me faisait presque peur.

— Pas autant que moi, Superman !

Je ne la trouvais pas drôle.

— Pourquoi tu dis ça ?

— Parce que la dernière chose que t'as faite, c'est un vol plané sur le dos de Marco ! J'te l'dis tout de suite, t'as pas de talent là-dedans !

J'ai éclaté de rire, c'était plus fort que moi. Mais je me suis arrêté net quand j'ai vu ma mère devant la porte, les bras croisés et les yeux comme deux poignards. C'était bien mal parti pour moi.

L'infirmière lui a expliqué la situation et l'a prévenue que je pourrais avoir des maux de cœur et des étourdissements. Ma mère, qui écoutait attentivement, a reculé d'un pas lorsqu'elle a vu le visage d'Emma.

— C'est si pire que ça ?

Emma semblait en rire, maintenant. Elle parlait avec une petite voix congestionnée.

— Non mais, qu'est-ce qui ce passe ici ? C'est la première journée de classe de l'année et c'est comme ça que vous commencez l'école ?

Ma mère a regardé du même coup les yeux de l'infirmière, qui s'est trouvée un peu mal à l'aise.

— Oh ! Vous savez, madame, je n'y suis pour rien, moi… Je suis juste infirmière, ici !

Ma mère a grogné et m'a attrapé par le bras.

— Viens, toi ! Tu vas me raconter ça en détail, ok ?

L'infirmière a à peine eu le temps de la retenir.

— Faites attention, madame ! Il pourrait avoir des haut-le-coeur !

— Haut-le-coeur, mon œil !

Ma mère était furieuse. J'en avais trop fait. Elle m'a ramené à sa voiture comme une poupée de chiffon. Puis, elle m'a poussé dedans et a claqué la porte.

— Tu recommences comme l'an passé ? Si je me souviens bien, tu avais fait la même chose, non ?

Qu'est-ce que je pouvais dire pour ma défense ? Elle avait bien vu dans quel état était Emma.

— Mais maman !

— Tu auras tout le temps de m'expliquer ça dans la voiture, parce qu'on s'en va chez ton père !

Je n'étais pas sûr de bien comprendre.

— Quoi ?

— Oui, tu m'as bien entendu, mon gars ! Tu viens de te faire mettre à la porte de l'école pour trois jours ! Alors, il va falloir que ça cesse, tout ça ! Moi, je travaille ! Je ne peux pas te garder à la maison ! Et il est hors de question que je te laisse tout seul, je ne te fais pas confiance ! Regarde ce que ça donne ! Comment faire confiance à un gars de ton âge qui n'est même pas capable de faire sa première journée d'école sans se jeter sur tout ce qui bouge ?

J'étais bouche bée… et j'avais vraiment mal au cœur.

— Maman…

— Quoi ?

— J'veux pas retourner chez papa !

— Franchement, il fallait y penser avant, mon gars ! Là, ce n'est pas toi qui décides ! Moi, je travaille et il est hors de question que je te laisse à la maison tout seul, au risque de me répéter !

J'ai tout de suite pensé à un plan de secours.

— Mais grand-maman pourrait rester avec moi, non ?

— Non !

J'étais anéanti… Pas tout de suite, non ! Je n'étais pas encore prêt à retourner chez mon père ! J'avais la tête qui tournait.

— Maman… j'ai mal au cœur.

— Pfff ! Tant pis pour toi !

— Maman, c'est vrai !

— Arrête de chialer ! C'est encore un manque d'attention ? Mais qu'est-ce que j'ai fait à la vie pour mériter ça, moi ? Je ne comprends plus rien ! Pourquoi n'es-tu plus capable de marcher droit comme les autres enfants ? Pourquoi n'arrêtes-tu pas de te mettre dans toutes sortes de pétrins ? Qu'est-ce que ça te donne, là ? Tu manques d'attention, c'est ça ?

— Non ! Pourquoi tu dis ça ? T'es méchante, maman !

— Je ne suis pas méchante ! J'en ai marre, de tout ça ! J'en ai marre de toujours avoir à régler tes conflits ! J'suis au bout du rouleau, Mady ! Au bout !

Elle a presque grillé un feu rouge. Elle a tapé sur le volant.

— Regarde ce que tu me fais faire !

— Mais c'est pas de ma faute !

Elle mettait tout sur mon dos.

— Je te rappelle que je suis dans la voiture à cause de toi ! Et je suis certaine d'une chose, Mady ! Tu vas changer ou crois-moi, ça va barder !

Voilà qu'elle me menaçait, maintenant ! J'étais furieux.

— J'ai mal au cœur, j'te dis !

Elle n'a pas eu le temps de me répondre que j'avais déjà vomi entre mes deux jambes sur le siège de sa voiture.

Le désespoir comme seul sentiment....

Ma mère était dans une colère noire quand elle s'est rassise dans la voiture… qui, disons-le, avait maintenant une odeur infecte. Elle s'était arrêtée à la première station-service qu'elle avait croisée et avait de son mieux nettoyé son fils (en l'occurrence moi) et mon siège qui en avait grand besoin.

— Maman…

— Ne me parle pas !

Elle refusait en plus de m'adresser la parole ! Je n'avais même pas pu lui expliquer pourquoi je m'étais battu. De toute façon, ça semblait bien inutile, maintenant. Elle n'avait pas du tout envie de me parler et, pire encore… je crois bien qu'elle ne m'avait jamais passé un si gros savon.

Elle a roulé comme une folle jusqu'à la maison de mon père… là où j'étais certain de passer les trois pires journées de ma vie. Plutôt dormir dans le bois que dans la cage à moineaux qui me servait de chambre.

Lorsqu'on est arrivés, mon père nous attendait les bras croisés sur le balcon de la maison. C'était vraiment le pire scénario possible. Ma mère a garé sa voiture et a éteint son moteur. Mon père est venu la voir pendant que je sortais de la voiture, puant et gluant.

— Ton fils vient de vomir dans la voiture ! Il paraît qu'il s'est cogné la tête en se battant avec un autre !

Elle m'a jeté un regard glacial.

— J'en ai assez, Carl ! Ou tu lui dis qu'il se place, ou bien j'vais m'en charger, moi !

Mon père m'a fait signe d'attendre.

— Combien de temps va-t-il rester ?

Ma mère s'est exclamée :

— Trois merveilleuses journées, mon cher ! J'suis désolée... je sais que tu n'as pas trop de temps pour lui en ce moment. Mais je travaille, c'est comme ça !

Mon père n'appréciait pas beaucoup le ton de ma mère.

— Tu devrais te calmer un peu... Tu sais, ce n'est pas toujours facile de maintenir nos émotions, hein ? Tu devrais en savoir quelque chose, toi !

— Qu'est-ce que tu veux dire ?

Ma mère n'était vraiment pas d'humeur à s'interroger sur son comportement.

— Je veux dire que la patience te manque à toi aussi, parfois... et...

— Carl, tu n'as pas le droit de me faire des reproches ! C'est ton fils à toi aussi ! Qu'est-ce que tu fais pour l'élever, hein ? Qu'est-ce que tu fais avec lui ? Pas grand-chose, que je sache !

J'étais découragé... C'était un vrai cauchemar... Mon père et ma mère s'engueulaient dans la cour à cause de moi.

— Ok ! Arrêtez, tous les deux !

Ma mère a profité de mon intervention pour démarrer sa voiture.

— Oh, toi ! Ne te mêle pas de ça !

Je me suis tout de suite calmé, car les yeux de ma mère lançaient des éclairs.

— Ben, c'est ça ! Sauve-toi encore, pour changer !

Mon père la relançait pendant qu'elle reculait dans la rue avec sa vieille bagnole, qui faisait déjà assez de tapage sans qu'on en rajoute. J'étais pas mal gêné. Mes parents réglaient leurs comptes en public. Dès que ma mère a disparu au coin de la rue, mon père, furieux, s'est retourné vers moi et m'a indiqué du doigt la maison sans dire un mot.

Bienvenue au pays du désespoir

Tout, mais pas ça ! Ma mère savait bien que m'envoyer chez mon père était la pire des punitions. J'ai croisé le regard de Julie en rentrant et j'ai tout de suite filé dans mon trou à rat… le nouveau nom que j'ai donné à ma chambre, à la place de chambre-penderie.

— Mady ?

Julie ne comprenait pas pourquoi je ne l'avais pas saluée et encore moins pourquoi je ne m'étais pas approché des bébés depuis qu'ils étaient nés.

J'ai claqué la porte de ma chambre et j'ai entendu une longue plainte. Je venais de réveiller un bébé.

— Ah non ! Pas ça !

La tête entre les genoux, je me suis assis sur mon lit, dont la couette était toujours aussi brun caca. Mais j'ai immédiatement décidé de me changer tellement je puais. J'ai ouvert la fenêtre de ma chambre, car elle sentait le renfermé. Je me suis couché sur mon lit en bedaine et en petite culotte. J'avais chaud et j'étais encore étourdi. Un instant, je me suis demandé ce qui se passait avec Emma. Pauvre elle…

C'est alors que j'ai entendu Julie qui récupérait le bébé pleurnichard dans sa chambre et l'emmenait avec elle en haut. Parfait, j'allais un peu avoir la paix !

J'avais les yeux pleins d'eau. Ma mère m'avait vraiment traité comme un moins que rien… et mon père n'avait pas du tout l'air content de me voir. Bon, dans les circonstances, c'était normal. Mais qui voulait vraiment de moi ? Je me sentais seul, rejeté et incompris.

J'avais de la peine à retenir mes larmes, qui coulaient le long de mes joues. Je me suis tourné sur le côté. Que voulait donc ma mère ? Pourquoi est-ce qu'elle avait été aussi dure avec moi ? J'avais seulement essayé de défendre Emma, après tout. Et maintenant, je me sentais comme une feuille au vent… Où est-ce que je m'en allais avec tout ça ? Est-ce qu'on devait seulement penser à soi ? À entendre ma mère, on l'aurait bien cru. « Je dois travailler, moi ! » Ces paroles tournaient en boucle dans ma tête. Elle n'avait pas arrêté de tout ramener à elle ! Non mais, ce n'était pas de ma faute si elle devait gagner sa vie !

Mon lézard Gilbert a levé la tête pour me regarder.

— Chanceux! Elle a l'air simple, ta vie de lézard!

En plongeant mes yeux dans les siens, je me suis revu avec Emma dans sa cour sous les étoiles. J'avais promis de ne plus me comporter comme une victime. Mais il était dur de tenir ce genre de promesses. J'avais déjà toutes les peines du monde à contenir l'espèce de rage qui me mangeait de l'intérieur. J'étais comme un volcan prêt à exploser. Quand je pensais qu'ils avaient tous oublié ma fête... treize ans... ce n'est pas tous les jours qu'on a treize ans, quand même! Plus j'y pensais, plus ça me mettait en rogne.

Le constat était finalement vraiment déprimant: je n'avais même pas une journée de secondaire deux de faite et j'étais déjà à la porte pour trois jours... Même l'école ne voulait plus de moi... Ma vie était foutue!

On a bientôt cogné à la porte de chambre. Je n'avais pas le goût de voir qui que ce soit. En plus, j'étais en bobettes, alors...

— J'suis pas là!

— Mady...

C'était mon père de l'autre côté. Un autre qui ne comprenait rien du tout ! Plus ça changeait, plus c'était pareil ! J'avais vraiment des parents bizarres... ou bien était-ce moi, l'extraterrestre ?

— J't'ai dit que j'étais pas là...

— Je veux juste te parler un peu.

— Tu reviendras plus tard ! J'veux rien savoir !

Mon père a battu en retraite, parce que j'ai entendu les marches de l'escalier craquer sous ses pas.

Bon débarras...

Maintenant, je commençais à geler et en plus, je n'avais plus aucune larme capable de couler. J'étais surtout fatigué. Je me suis donc glissé sous les couvertures et je me suis mis en petite boule. Après tout... qu'est-ce que je pouvais bien faire d'autre que dormir, maintenant ?...

Le téléphone a retenti à cet instant. J'ai fait le saut... Peut-être était-ce Emma qui m'appelait pour me raconter combien se faire replacer le nez était douloureux ? Je me suis assis sur mon lit et une odeur de vomi a remonté jusqu'à mes narines. Oups ! J'avais laissé mes shorts et mon chandail par terre devant mon lit. J'ai ramassé le tout, le cœur au bord des lèvres, et l'ai mis à côté de la fenêtre en attendant de voir ce que j'en ferais. Dommage, quand même… Ce nouveau jean (eh oui, un de plus, j'avais gagné cette bataille contre les kits de ma mère) et mon chandail un peu punk me donnaient un air plus vieux que je ne détestais pas. Bah, peut-être arriverait-on à les ravoir après six lavages… au moins !

La lumière du téléphone clignotait encore… c'était signe que la personne au bout du fil était en attente, yé ! Mon père a crié :

— Mady ! C'est pour toi !

Je me suis précipité sur le combiné.

— Allo ?

— Salut… euh… c'est moi, Édouardo.

La surprise était totale !

— Ah ? Ben… ok ! Salut !

Il semblait un peu gêné de me téléphoner ici.

— J'voulais savoir si t'allais bien… J'veux dire, le gros Marco, y t'a pas manqué !

J'étais effectivement encore sonné. Mais l'engueulade avec ma mère avait fait pas mal plus de dommages que Marco avec son coup de tête, en vérité.

— Bah ! C'est du délire, ici…

— Qu'est-ce tu veux dire ?

— Ben… ma mère capote, pis mes parents se sont disputés devant les voisins ! J'ai vomi dans l'auto de ma mère et, pour finir, je suis pris ici, à Longueuil, chez mon père, avec deux bébés de quelques jours qui braillent tout le temps !

— Fiou ! Ouin, méchant portrait… Y'a de quoi être dépressif !

— À qui le dis-tu, mon homme !

Je me posais quand même une question…

— Dis, comment t'as fait pour trouver le numéro de mon père ? Il vient de déménager !

— Ah ! C'est Emma qui me l'a donné.

Le seul fait d'avoir entendu son nom m'a donné des papillons dans l'estomac.

— Emma ? Est-ce que t'as eu de ses nouvelles ?

— Ben oui… Elle a eu le nez fracturé. J'te dis que ça avait l'air de lui faire mal pas à peu près !

C'était la première fois que je réalisais qu'Emma avait elle aussi pardonné à Édouardo…

J'avais de mon côté vécu avec lui un évènement dans les bois qui nous avait rapprochés. Mais elle, elle avait décidé de tout effacer pour m'aider à me faire un ami de gars. Je n'avais jamais remarqué ça, et maintenant, ça venait de me sauter aux yeux.

— Tu lui as parlé au téléphone ?

— Oui, je l'ai appelée sur son cell pendant la pause, tantôt.

— Ok. Est-ce qu'elle a dit qu'elle allait m'appeler ?

— J'sais pas... elle m'en a pas parlé... elle m'a dit qu'elle avait reçu une lettre de Corneille, par exemple !

Ah non ! Pas lui...

— Pour vrai ?

— Ouais ! Elle m'a dit qu'au moins, elle était pas revenue bredouille à la maison. Sa mère la lui a donnée après sa visite chez le doc !

J'étais jaloux.

— Hum... Elle avait l'air contente ?

— T'es marrant, toi ! Ben, oui, me semble. J'trouve ça le fun, en tout cas, moi ! Ils avaient l'air de ben s'entendre, ces deux-là !

Justement, c'était ça, le problème...

— Ah ? Je sais pas...

— Ben, oui ! Hey, ça sautait aux yeux, quand même !

— Tant que ça ?

— Sûr !

Finalement, peut-être que j'étais dans les patates de penser qu'Emma avait encore le béguin pour moi. Peut-être que c'était lui dans le fond qu'elle aimait… maudit Corneille, va ! Il avait beau rester à Québec, il venait quand même fouiner dans mes plates-bandes…. façon de parler, bien sûr.

— Bon… ben… Je voulais juste te dire que je suis déçu que ce soit toi qui écopes de la suspension !

— Bah ! Qu'est-ce que tu veux que j'te dise… J'dois traverser une mauvaise période lunaire, c'est tout !

— Ouin… J'vais t'appeler ce soir, si tu veux… As-tu un cell, toi ?

Ça y est, j'avais encore l'air d'un attardé…

— Ben non, j'en ai pas encore…

— Bon, ben alors tu dois avoir un ordi chez ton père, non ?

— Ouais…

— On se parlera comme ça, si tu veux… J'vais essayer de te changer les idées !

Il avait du mérite… C'était toute une mission qui l'attendait.

— Ok ! On se donne rendez-vous sur MSN, alors ?

— Ouep ! À sept heures à soir !

Ça tombait bien, quelque part, parce que je préférais écrire que téléphoner. Je n'aime pas parler dans ces appareils, j'ai chaque fois l'impression de faire la fille… Encore une réflexion un peu stupide que mon père aurait eue… Il fallait que je me surveille avant qu'il déteigne sur moi!

— Ok, alors ! Salut !

— Bye !

Édouardo a raccroché et je suis resté dans ma position, mes pieds sur l'oreiller du lit et ma tête de l'autre côté. Emma avait reçu une lettre de Corneille moqueuse… Mes chances étaient donc perdues avec elle ?

— Mady !

C'était mon père. Cette fois-ci, je n'y échapperais pas.

— Mady, ça suffit ! Tu ne peux pas te cacher dans ta chambre toute la journée !

Mon père se tenait debout derrière ma porte avec dans la voix une autorité que je n'avais jamais sentie de sa part. Qu'est-ce qui me valait autant d'attention, d'un seul coup ? Étais-je devenu si important qu'il se force à me remarquer ? Je lui ai dit en lui ouvrant :

— Je comprends pas pourquoi tu en fais tout un plat, que je sois caché dans ma chambre. De toute façon, qu'est-ce que t'en as à faire, de moi ?

Eh bien, bizarrement, mon père était très en colère. Je ne savais pas pourquoi, je n'arrivais pas à déceler quoi que ce soit dans ses yeux.

— Je t'interdis de me parler sur ce ton, mon gars ! J'en ai vraiment assez de ton attitude envers moi !

J'étais d'accord avec lui sur ce point.

— Ben, on est deux, alors !

— Qu'est-ce que tu veux dire ?

— Je pense que tu le sais, papa !

Mon père semblait tombé de la lune. Rien ne frappait plus que la vérité en plein visage.

— Je te dis que j'en ai assez de toujours passer après tout le monde ! Tu fais toujours passer les autres avant moi ! Toujours ! Mais celui qui passe toujours le premier dans tout ici, papa, c'est toi ! Toi, toi et re-toi ! Qui a toujours le dernier mot ? Qui décide toujours pour tout le monde ? Ça a été comme ça depuis le début ! Depuis que t'as laissé maman et depuis que Julie est dans le décor ! J'ai jamais rien à dire ! T'as toujours le mot charmant pour tout régler à ta façon !

Mon père a répondu :

— Tu vois bien que tu exagères ! Tu as toujours tendance à en faire trop, comme ta mère !

Voilà qu'il attaquait maman, maintenant ! Il ne comprenait donc rien encore ?

— Papa ! Écoute-moi ! J'arrive ici, après être parti pendant six semaines... et tu m'annonces en souriant que je n'ai plus ma place dans la maison !

Mon père était confus.

— De quoi tu parles ?

— Allo, papa ! Réveille ! Tu m'as enlevé la seule chose qui m'appartenait ici ! Ma chambre !

Qu'est-ce que mon père pouvait répondre à ça ?

— Je t'ai expliqué pourquoi on avait fait ça ! Tu m'as dit que tu comprenais, mon gars ! Qu'est-ce que tu veux que je te dise... On n'allait quand même pas déménager juste pour toi alors que Julie était enceinte, non ?

Et encore moins maintenant ! Tu es un petit égoïste, Mady !

Moi, égoïste ? Tout, mais pas ça !

— Je veux pas que tu me dises ça, parce que c'est pas vrai ! Le seul dans cette maison qui a toujours pensé à lui, c'est toi !

Le silence a plané dans ma petite chambre qui sentait le renfermé et, en haut aussi, on aurait pu entendre une mouche voler. Julie écoutait, c'était sûr et certain !

— En plus, papa… t'as oublié quelque chose de super important pour moi et tu t'en rends même pas compte !

Il a froncé les sourcils. Il voyait bien qu'il perdait de plus en plus le contrôle de la conversation.

— Tu as oublié ma fête, papa ! J'ai eu treize ans au camp… et, quand je suis revenu, personne ne m'a donné de cadeau ni n'a même pensé à me souhaiter bonne fête !

D'un coup, les yeux de mon père se sont fermés, et il a baissé les bras.

— Je… Je suis désolé, Mady… Bon sang !… Je… je n'ai aucune excuse… Nous n'avons aucune excuse pour avoir oublié ta fête.

J'étais complètement vidé.

— Tu sais papa… c'est plus que ça… Toi et moi, on a de la misère parce que tu es centré sur ton nombril… Maintenant que tu as deux filles avec Julie… je me dis que ça va être encore pire… surtout que tu n'avais déjà pas beaucoup de temps pour moi… alors…

— Je ne voulais pas que ça arrive, mon gars… Je voudrais que tu me donnes la chance de réussir avec toutes ces nouvelles responsabilités sur les épaules… Je sais que je n'ai pas été le père que tu aurais souhaité, ou encore celui qu'il t'aurait peut-être fallu… mais crois-moi, j'ai toujours voulu faire mon possible…

Mon père était très sérieux en disant cela. Il était toujours debout devant moi dans l'encadrement de la porte. Il n'avait le courage ni de me toucher ni de s'asseoir à côté de moi.

— Tu as et tu auras toujours ta place ici… avec moi et dans cette famille. Cette nouvelle famille est la tienne, Mady… Enfin, voyons… je suis ton père et Julie t'aime beaucoup, tu le sais… Pourquoi penses-tu qu'on ne veut plus être avec toi ?

— J'ai pas dit ça…

— Non, mais tu le penses. On dirait que tu penses que personne ne souhaite ta présence ici, alors que je peux t'assurer que c'est faux ! Complètement faux ! Au contraire, j'ai besoin de toi, moi !

— Ouais.... t'as besoin de moi pour changer des couches...

— Mady, donne-moi au moins une chance ! Une chance de te montrer que je suis capable de m'occuper de vous tous !

Mon père avait toujours été un peu négligent pour tout ce qui concernait les responsabilités de parents. Ma mère se chargeait souvent de tout à la maison. Papa avait toujours préféré nettoyer des dents plutôt que la vaisselle, ou encore flirter avec les secrétaires de son cabinet de dentiste plutôt que les sorties familiales. Quand j'y repense, j'en ai encore mal au cœur. Enfin... peut-être avait-il changé, après tout? Ou peut-être le voulait-il vraiment, au moins ? Est-ce que je pouvais lui donner une nouvelle chance avec moi ? L'influence de la Grande Ourse a guidé mes mots, je crois, car j'ai répondu :

— Je voudrais bien, papa. Je vais même te dire que je peux essayer de repartir sur de nouvelles bases avec toi. C'est vrai que je commençais à avoir une belle relation avec toi avant le camp... On s'était rapprochés...

— Oui, c'est vrai, Mady.

— Et maintenant, tu as tout mêlé en oubliant ma fête et en m'ignorant ! Je suis pas un coton, tu sauras ! Ni un bout de chiffon ! Je me suis battu aujourd'hui parce qu'il y avait eu une injustice et qu'Emma avait été blessée par un gars volontairement ! Et je déteste les injustices ! Je ne veux plus me laisser faire !

— Ça, c'est une histoire à suivre... Tu n'as rien voulu me dire depuis que tu as mis les pieds ici. Par contre, il va falloir que tu parles plus, si tu veux qu'on s'entende. Ce n'est pas à moi de tout faire... Je suis pourri pour lire entre les lignes !

— Non, tu m'en diras tant...

L'atmosphère est devenue moins lourde. On décompressait doucement. J'arrivais à respirer un peu mieux et je me sentais libéré d'un certain poids.

— Je suis certain, mon fils, qu'on va pouvoir y arriver...

Mon père a croisé les bras en soupirant.

— Pour commencer, il faudra bien que tu prennes tes sœurs dans tes bras... histoire d'avoir un contact... Tu vois ce que je veux dire ?

Je le voyais très bien... Jusqu'à présent, j'avais refusé de les approcher parce que je les considérais à la source de mon problème. Mais bon, plus j'avançais, plus je me disais que tout le monde avait un peu sa part de responsabilité dans cette histoire.

— Ah, d'accord, va... j'accepte. J'enfile un pantalon et un chandail et j'arrive.

Deux bébés dans les bras!

Julie était en train de préparer le souper. Une odeur de lait caillé planait autour d'elle. Je me trouvais derrière mon père, qui avait le sourire fendu jusqu'aux oreilles. Pour une fois, on avait fini par s'entendre et il n'en était pas peu fier.

— Coucou, Mady!

Julie s'est retournée et a fait semblant de rien. Elle me connaissait assez pour savoir qu'il valait mieux faire comme si rien ne s'était passé, que nous questionner et finalement me faire retomber dans mon problème… ou plutôt notre problème.

— Tiens, tu vas pouvoir m'aider à donner le biberon! Si tout va bien, je pourrais me laver pendant ce temps-là!

Eh bien, elle voulait m'impliquer et ça paraissait! Bon, elle n'avait pas tort. Après tout, autant vivre l'expérience à fond tant qu'à s'y lancer. Je n'aimais pas trop l'idée de me faire régurgiter dessus, mais bon!

— Ok... ben... qu'est-ce qu'il faut que je fasse ?

Elle m'a pointé le canapé, et mon père en a profité pour faire l'homme occupé.

— Bon ! Ben d'abord, je vais aller tondre la pelouse, moi !

Julie a acquiescé. Après tout, il fallait bien que l'entretien de la maison se fasse. Comme j'étais là, c'était parfait.

— D'accord. Allez, Mady, viens !

Elle m'a alors tendu les biberons. Pas un, les deux !

— Mais là... Comment je vais faire ça ?

Elle m'a pris par le bras, visiblement heureuse.

— Je vais t'expliquer tout ça, mon grand !

Qu'est-ce que je pouvais faire, à part prendre les deux biberons et la suivre dans cette aventure plutôt spéciale ? J'allais donner deux biberons à la fois... c'était digne d'une comédie au cinéma ! Mais bon, j'avais promis à mon père d'essayer, et une promesse est une promesse. Il fallait donc que je montre un peu de bonne volonté.

— Ce n'est pas dur, tu vas voir.

Julie était bien confiante, quand même. Est-ce qu'elle savait que je n'avais pas plus d'agilité qu'un singe centenaire ?

— Bon, ok... qu'est-ce que je fais ?

On était arrivés dans la chambre des jumelles. Les deux petites choses étaient couchées sur le côté, chacune dans un tas de froufrous digne de la princesse Sissi.

— Tu vas t'asseoir comme je te l'ai dit sur le divan. Regarde les taies d'oreiller qui sont là. Dépose-les de chaque côté de ton corps et ensuite, je vais te les amener l'une après l'autre !

Elles dormaient toutes les deux à poings fermés. Petit poing, disons le... Je ressemblais à un géant à côté d'elles. J'étais mal à l'aise.

— Julie... t'es bien sûre ? Je serai pas capable de faire ça... j'veux dire, si ça marche pas et que t'es dans la douche, j'fais quoi ?

— Allons, un peu de courage, mon grand !

Du courage, je n'en avais plus du tout... Et je ne savais pas trop pourquoi.

— Ouais... mais là... pourquoi tu les réveilles ? Elles dorment super bien ! T'es sadique, comme mère !

Julie m'a fait un clin d'œil coquin.

— Tu devrais le savoir ! Non... sans blague, elles sont si petites qu'elles veulent toujours dormir. Il faut donc les réveiller aux quatre heures pour les faire boire. C'est important, sinon elles pourraient maigrir et je serais obligée de retourner à l'hôpital pour que les docteurs surveillent leur poids. Et ça ne me tente pas trop, vois-tu.

J'étais super surpris.

— Ayoye... Tu m'en apprends, là...

— Allez, je vais t'amener Alice...

Alice... C'était la première fois que j'entendais son prénom... et qu'elle était vraiment là. Avant, Julie en discutait beaucoup avec papa. Mais là, c'était vrai. Alice et Claudia étaient là...

Alice est arrivée encore toute endormie dans sa couverture rose en minou. Il y avait tellement de petits poils qui retroussaient dans le tissu, qu'elle en avait dans la bouche.

J'ai tassé avec mon petit doigt le tissu, et elle s'est trémoussée en rechignant un peu.

— Parfait ! Elle commence à se réveiller un peu, la petite bougresse ! Elle va bien boire, j'espère !

La petite bougresse… Coudonc, ma grand-mère Thérèse était en train de posséder Julie ! Je n'ai pas pu m'empêcher d'éclater de rire, aussitôt imité par Julie. Elle avait toujours le mot pour dédramatiser les choses.

— Bon ! La voilà bien installée. Place à Claudia, maintenant !

J'étais surpris de voir que, jusqu'à maintenant, ça se passait plutôt bien. Aucune mort n'était à déclarer.

— Ok… tiens…

Claudia a fait son apparition à côté de moi sur un oreiller. J'étais entouré de deux bébés à demi-réveillés à qui je devais donner le biberon ! Je n'arrivais pas à y croire.

Julie a souri.

— Attends ! Avant, je vais aller chercher mon appareil numérique !

Elle a couru jusqu'à la cuisine et a attrapé son appareil photo.

— Bon, je ne voudrais pas manquer ça ! Hey ! La première fois que leur grand frère leur donne à boire, ça vaut de l'or !

Ça faisait vraiment bizarre d'entendre ça.

— Ok… Ne bouge plus !

Au même moment, Claudia a levé un bras hors de sa couverture… comme si elle avait voulu dire salut ! J'ai éclaté de rire et Julie aussi.

— Ah, la petite coquine ! Elle voulait ajouter un peu d'humour au tableau ! Selon moi, elle va être tannante comme son grand frère !

Je me suis contenté de sourire.

— Là, qu'est-ce que je fais ?

— Tu prends le biberon et tu le bouges comme ça de gauche à droite sur leurs bouches… Regarde.

Elle a fait une démonstration avec Alice, qui a ouvert instantanément sa petite bouche pour attraper la tétine et commencer à téter.

— Voilà ! Il y en a une qui boit ! Voyons voir si Claudia a aussi faim, d'accord ?

J'ai passé la tétine près de ses lèvres comme Julie m'avait dit de le faire et j'ai obtenu à ma grande joie le même résultat. Elles tétaient toutes les deux les biberons.

— Bon ! Je me sauve, maintenant ! Je file à la douche !

— Mais je…

Julie ne m'a pas laissé terminer ma phrase. Elle s'est en allée en sautillant… et en me laissant là, l'air presque paniqué…

les deux mains prises avec les biberons, à la merci d'une éventuelle catastrophe !

— Bon...

J'ai regardé à ma gauche en direction d'Alice qui, semblait-il, avait senti mon stress. Elle a lâché la tétine et a poussé un petit cri pour reprendre la tétine tout de suite après.

— Eh, tu essaies de m'encourager ou tu ris de moi, là ?

Bon, voilà que j'étais en train de parler avec un bébé d'une semaine... pas fort !

Pour toute réponse, Alice a ouvert les yeux et sa petite main s'est dirigée vers la mienne. Sans que je sache pourquoi, elle l'a déposée dedans. Bon, je n'étais pas très intéressé par des rapprochements aussi hâtifs... mais j'avoue que mon cœur a un peu fondu quand j'ai vu sa petite main comme ça, sur la mienne. Elle était si petite. Et ses petits yeux regardaient dans tout les sens, comme si elle ne voyait pas grand-chose. C'est alors que Claudia, qui se trouvait toujours de l'autre côté sur l'oreiller (heureusement pour moi), a soupiré et a arrêté de boire. J'ai secoué le biberon. Rien. On aurait dit qu'elle dormait.

— Je ne fais pas ça comme il le faut ? Tu n'aimes pas ton lait ?

Comme si j'allais avoir une réponse, tiens ! Bon, ça faisait quand même un petit moment qu'elles buvaient sans rien dire… mais là, ça commençait à gigoter pas mal…

— Écoute, reste tranquille… ta maman va revenir…

Claudia a alors fait la moue et a éclaté en sanglots ! Mais qu'est-ce que je pouvais faire ? J'avais les deux biberons dans les mains… Et Alice buvait toujours, elle… alors, pourquoi l'autre ne voulait rien savoir ?

— Qu'est-ce que t'as, là ? Chuuut.

Elle criait maintenant à pleins poumons. C'est à ce moment-là que j'ai compris que j'allais probablement être plus proche d'Alice. Elle, elle n'avait pas encore bronché, un vrai petit ange.

— Bon, ok ! Tu vas devoir attendre un peu, mademoiselle !

La douche de Julie a arrêté de couler. Ah, enfin, j'allais avoir du renfort ! Et voilà que le téléphone a sonné. Mais pas moyen de répondre pris comme je l'étais ! Zut, quand même. C'était peut-être Emma qui essayait de m'appeler.

— Ah !

J'ai lâché sans le faire exprès le biberon d'Alice pour retrouver mes deux mains. Mais elle a ouvert les yeux, surprise que j'aie bougé, et a éclaté en sanglots. Et vlan ! J'avais maintenant deux bébés hystériques autour de moi et le téléphone qui sonnait en plus !

— Il faut que je réponde, les filles !

Une dernière sonnerie s'est faite entendre, alors même que je me demandais comment je pourrais quitter ma prison dans le canapé. Ça y est, j'avais manqué l'appel. Je n'étais plus capable d'entendre Claudia crier comme si on allait lui tordre le cou ! J'ai donc décidé de la prendre sur mon épaule. Doucement, je l'ai soulevée et je l'ai appuyée contre ma poitrine. Pendant ce temps, Alice cherchait encore la tétine, la bouche ouverte. Je lui ai donc à nouveau mis le biberon dans la bouche. Elle a immédiatement tété comme une dingue.

En ce qui concernait Claudia, eh bien, elle avait enfin arrêté de pleurer. Mais je ne perdais rien pour attendre, puisqu'elle s'est dégonflée comme un vieux pneu et s'est vidé littéralement l'estomac sur moi !

— Ouache ! Ah non !

C'était donc ça, l'espèce d'odeur de lait caillé que Julie dégageait... C'était vraiment infect !

— Franchement ! Tu ne pouvais pas attendre un peu ?

Julie est entrée au même moment dans le salon en jaquette, pantoufles et la serviette encore sur les cheveux.

— Oh, oh... Un dégât ?

J'étais dans un piteux état.

— Tu peux appeler ça comme tu veux... Moi, j'appelle ça un renvoi d'égout !

Julie a éclaté de rire.

— Pauvre Mady !

Une dure journée...

J'étais assis à table, en train de piocher au hasard des pommes de terre et des carottes, espérant pouvoir me sauver de la cuisine le plus rapidement possible. Je n'avais pas faim. Ma journée avait vraiment été la plus rock'n'roll que j'avais jamais vécue. La bagarre à l'école, la crise de ma mère, la dispute de mes parents devant les voisins, ma chicane avec mon père et ma rencontre avec mes sœurs... tout ça était dur à prendre dans une même journée !

Mon père, qui m'observait depuis le bout de la table, s'est exclamé :

— Tu ne manges pas ?

J'avais juste envie de m'en aller en courant. Je ne savais pas pourquoi, on aurait dit que je ne me sentais plus chez moi, tout à coup… Je me sentais bizarre… Même l'odeur de la maison avait changé… ça sentait le lait caillé partout ! Enfin, j'en avais l'impression, en tout cas. J'avais juste envie de téléphoner à Emma et de la questionner un peu.

— Bah… non…

Mon père a fait un geste de la main.

— Écoute, vas-y… mais tu n'as pas le droit de sortir, ok ? Ta mère va me tuer si elle apprend que tu t'es promené en ville après ce que tu as fait ce matin à la poly !

Je me suis contenté d'acquiescer et de partir rapidement vers le sous-sol avant qu'il change d'avis. Rendu dans ma chambre, je me suis jeté sur mon lit en attrapant le téléphone au passage. J'ai composé le numéro d'Emma avec des papillons dans l'estomac… et ce n'était pas à cause de ce que je venais de manger…

— Oui ?

Emma avait la voix d'une femme de soixante-quinze ans !

— Bon sang ! J'ai failli pas te reconnaître ! T'as l'air amoché !

— Ah ! Mady ! Comment ça va ?

— Laisse faire... Toi d'abord !

— Édouardo t'a pas appelé ?

— Oui, mais je voulais quand même prendre des nouvelles... Est-ce que j'te dérange ? Étais-tu en train de souper ?

— Oh non ! Je faisais la vaisselle avec ma mère...

Elle a chuchoté.

— Alors, continue à parler, parce que tu me sauves la vie ! Je déteste vraiment les tâches ménagères !

Elle me faisait rire... Je m'ennuyais déjà d'elle. Et dire que j'allais partager mon temps pendant trois jours entre un sous-sol et deux bébés... Enfin, à bien y penser, je préférais le sous-sol.

— Comment ça a été avec ta mère ? a-t-elle demandé.

— C'était trop nul ! Mes parents se sont criés après dans la cour ici et ensuite, j'me suis fâché contre mon père et vidé le cœur !

Elle a sifflé.

— Wow ! T'as pas perdu de temps, toi ! Tu règles ça, des rentrées scolaires !

Pas encore la même remarque !

— Ouais... J'te ferai remarquer que c'est en essayant de défendre une certaine jeune fille que je me suis attiré tous ces problèmes, aujourd'hui !

Je pouvais quand même me mettre un peu en valeur. Je méritais bien un peu d'attention, moi aussi.

— Ben... Je dirais plutôt qu'encore une fois, c'est nous deux qui avons écopé... Comme c'est toi qui t'es jeté en premier sur Marco, il n'a eu qu'un avertissement... Enfin, c'est ce qu'Édouardo m'a raconté...

Édouardo...

— Ah, en parlant de lui, ce soir on a un rendez-vous sur MSN.

— Cool !

— Tu trouves ?

— Ben, certain ! Vous allez apprendre à vous connaître... Je pense qu'on va tous devenir de bons amis...

Maintenant, je me préparais à attaquer le sujet Corneille moqueuse...

— Dis-moi, je… je voulais savoir… mais… avant, je voulais te dire merci pour Édouardo.

Elle a eu un petit rire surpris.

— Pourquoi tu dis ça ?

— Ben… je sais que tu n'étais pas là dans le bois avec nous… et je sais que tu fais ça pour moi… enfin, je pense… Bref, je crois que tu me fais confiance et que si je lui donne sa chance… ben, que tu embarques pour me faire un peu plaisir. Je me trompe ?

— Pas vraiment… Tu comprends… je lui aurais sans doute pas reparlé, sinon.

C'est bien ce que je me disais.

— Merci, alors…

Elle me permettait d'avoir enfin la chance de tout régler. C'était une vraie amie.

— C'est dac ! À propos, tantôt, t'avais l'air de vouloir me demander quelque chose… Qu'est-ce que tu voulais savoir ?

Maudit Corneille moqueuse…

— Oh ! Euh… Je voulais savoir… enfin, je voulais que tu me dises si c'était vrai que Corneille moqueuse t'avait écrit une lettre.

Un silence s'est installé sur la ligne. Je commençais déjà à regretter ma question… mais c'était plus fort que moi !

— Ben oui…

— Ah ? Qu'est-ce qu'il voulait ?

Je faisais mon innocent.

— Mady… qu'est-ce que tu veux que je te dise ?

Je ne savais pas quoi répondre à ça. C'était vrai, après tout… Si c'était une lettre d'amour qu'il lui avait envoyée, je ne voulais pas le savoir… je ne le supporterais pas… Et si elle le choisissait, lui ?

— Je sais pas… Je te demande ça comme ça.

— Alors, disons qu'il voulait me dire bonjour…

Elle me cachait des choses, c'est sûr.

— Juste ça ?

— Juste ça…

— Ah… et…

— Et rien d'autre, Mady. Il reste à Québec. On se reverra donc pas de sitôt !

Elle me rassurait.

— Ouais… C'est vrai, ça.

Là, il était vraiment temps que je parle d'autre chose.

— Changement de sujet, là… Ta mère a regardé le collier que j'ai trouvé avec Louve aventureuse ?

Et tiens ! Je me suis dit que j'allais la rendre un peu jalouse, elle aussi. Je ne sais toujours pas pourquoi je faisais ça…

— Ah, en passant, Louve m'a aussi écrit la semaine passée… Je ne voulais pas te le dire… mais comme Corneille l'a fait aussi…

Emma a tout à coup semblé sur la défensive… et je me suis mis à espérer qu'elle ne me demanderait pas de lui montrer la lettre. Je me demandais même pourquoi j'avais inventé tout ça.

— Ah ! Pis ? Elle va bien ?

— Ah oui ! Très bien…

Bon, il fallait revenir le plus vite possible sur le sujet du collier si je ne voulais pas m'attirer des problèmes. Emma n'avait pas l'air si jalouse que ça, après tout…

— Pis le collier ?

J'étais bizarrement certain qu'Emma savait que je venais de lui mentir.

— Oui, le collier… Ben, ma mère a dit qu'il avait à peu près cent ans… Une belle trouvaille, quoi !

— Super !

— Ouais ! C'est cool, comme découverte !

Il y avait un malaise dans sa voix… J'étais maintenant certain qu'elle m'avait vu venir avec mon histoire de lettre. J'avais inventé ça sans réfléchir, mais je le regrettais déjà. J'ai donc relancé la conversation sur un autre sujet pour noyer le poisson.

— En tout cas, je ne regrette pas de t'avoir défendue… mais j'trouve ça un peu long, ici !

Elle est partie à rire… Fiou, j'avais évité le pire…

— Ne me dis pas que tu as joué à la maman cet après-midi !

— Ha ! Ha ! Très drôle ! Je te dirais que j'ai fait plus que jouer. Je me suis transformé en mère nourricière !

— Quoi ?

Elle a éclaté de rire et ça m'a fait du bien. J'aimais tellement la voir joyeuse… Mais qu'est-ce que j'avais, moi, à être aussi sensible ?

— Oui, j'ai joué à la maman, ma chère ! J'ai même nourri au biberon deux bébés en même temps !

— Quoi ? Tu les as approchées ? Wow ! Mais quelle mouche t'a piqué ?

Je ne le savais pas trop moi-même.

— Bah ! Qu'est-ce que tu veux… j'avais pas ben l'choix. Sinon, je passais trois jours dans la cave !

— Ouais, c'est bon ! Et pis ?

— Ben ! Ça a pas été si pire, sauf que Claudia a vomi sur moi pendant son rot ! Enfin, c'était censé être un moment de digestion normal, mais ça a mal fini !

Emma riait tellement qu'elle en a attrapé le hoquet. J'avoue qu'avec du recul, ma journée était digne d'un vrai téléroman.

— J'le sais ! Ça a pas d'allure ! De toute façon, depuis quand ma vie a d'l'allure, hein ?

— En tout cas, on s'ennuie pas avec toi ! Ah, c'que t'es drôle, Mady !

— C'est un compliment ?

Son rire a diminué d'intensité.

— Oui, c'est un compliment.

J'étais content. Elle m'appréciait et je pouvais penser que notre relation redeviendrait peut-être comme elle était avant toute l'histoire de nos parents.

— C'est plate, que tu sois si loin…

Je l'ai entendue soupirer.

— Pourquoi ?

— Parce que je pourrais voir ce dont t'as l'air avec un gros bandage de boxeur sur le nez !

Elle a grogné.

— T'en fais pas pour ça ! Tu vas le voir en masse !

— Comment ça ?

— J'suis supposée le garder environ trois semaines minimum !

Ça a été à mon tour de rire.

— J'imagine que, pour une fille, c'est l'horreur ! Moi, j'm'en fais pas trop avec ma tête, mais toi !

— Laisse faire, va ! Tu devrais peut-être t'en faire un peu avec ta tête, justement !

— Bon ! Bon ! Qu'est-ce qu'elle a, ma tête, encore ?

On a encore rigolé. Puis on a repris notre souffle et, finalement, la conversation a comme abouti nulle part… signe que ni l'un ni l'autre ne savait quoi ajouter, mais qu'on n'était pas pour autant prêts à raccrocher.

Emma a brisé ce petit moment magique.

— Bon… il va falloir que j'aille faire mes tâches… Ma mère commence à me regarder de travers… si tu vois ce que je veux dire…

— Oui… Emma ?

— Oui ?

— Ben… j'ai hâte de te revoir… Toi ?

Elle n'a pas hésité et ça m'a rendu heureux.

— Oui, moi aussi ! Je te rappellerai demain après l'école. Je vais te ramener tes devoirs et aussi, je voulais te dire que mon père allait essayer d'expliquer à ta mère pourquoi tu t'étais battu…

Hum… je n'étais pas sûr que ça soit une bonne idée.

— Tu penses que ma mère va l'écouter ?

— Oui… enfin, c'est ce que mon père croit.

— Bof ! Il a sûrement raison !

— Alors, je raccroche…

— Ok… bye !

L'horloge sur le mur de mon trou à rat indiquait six heures du soir. C'est bête, j'aurais bien passé la soirée à parler avec elle. Je me suis retourné et j'ai ramassé un livre de la série *Capitaine Aquidam* pour me changer les idées. Mais je tournais les pages et je ne voyais que le visage d'Emma… j'étais vraiment en amour, moi…

Un chum de gars !

De retour dans ma chambre après une bonne douche, je me suis installé devant l'ordinateur. Mon père et Julie étaient toujours à l'étage, en train de s'occuper des jumelles. J'avais vraiment pitié d'eux… ça n'arrêtait pas beaucoup, leur affaire. Entre le bain, le petit dodo, le boire, le vomi, l'autre dodo et ainsi de suite jusqu'à épuisement… il fallait être fou pour avoir des enfants ! En tout cas, je n'étais pas fait pour ça, c'était clair !

J'ai ouvert MSN et j'ai réalisé que j'avais déjà une boîte de dialogue d'ouverte.

— Salut, man !

Édouardo m'attendait… En effet, on avait un rendez-vous virtuel sur l'ordi à sept heures… j'étais donc en retard de quinze minutes environ. Je me suis dépêché de répondre.

— Excuse-moi ! J'avais des odeurs de lait caillé à faire disparaître !

— De quoi ?

Je lui ai raconté mon après-midi avec les jumelles.

— Pauvre toi ! Dans ce cas-là, j'pense que j'aime mieux être à l'école, finalement !

J'étais bien d'accord avec lui.

— J'ai parlé avec Emma, tantôt.

— Elle t'a appelée ?

— Non… c'est moi qui l'ai fait…

— T'as l'air de ben l'aimer, cette fille-là. J'me trompe ?

Je me suis demandé si ça paraissait tant que ça.

— Ah ? Qu'est-ce qui te fait dire ça ?

— Ben, facile… Quand tu la regardes, tu vires tout rouge ! T'as l'air d'une pinte de lait en temps normal !

Il ne se gênait pas… Il faut dire qu'Édouardo avait toujours eu un humour mordant. Et derrière un écran d'ordi, c'était encore plus facile.

— Tant que ça ? J'veux dire… je l'aime bien, mais… ma face, elle vire si rouge que ça ?

— Lol ! Oui, mon gars !

Moi qui pensais que personne ne s'en rendait compte… j'avais du chemin à faire en art dramatique.

— Ben coudonc... j'voudrais quand même pas avoir l'air nono ! Tu me l'diras, si j'ai l'air dans la graisse de bine, maintenant, ok ?

— Hey, changement de sujet ! Steeve a pas arrêté de dire à tout le monde aujourd'hui que Stéphanie lui avait dit que tu lui avais demandé de sortir avec ! C'est-tu vrai ?

Je n'étais pas sûr de comprendre...

— Sortir avec qui ? Avec Stéphanie ?

— Ouais...

Ah, la maudite menteuse !

— C'est pas vrai pantoute ! Elle est jalouse parce que je veux rien savoir, au contraire ! Elle a pas arrêté de me tourner autour. Enfin, depuis la piscine, c'est fini, mais ça a été comme ça tout l'été.

— Comment, depuis la piscine ?

J'ai raconté à Édouardo ma chicane avec Stéphanie à la piscine municipale.

— Tu lui as dit ça devant Emma ?

— Oui, mon cher !

— Pfff ! Demande-toi pas alors pourquoi elle veut que Steeve te niaise autant ! Elle l'influence pour qu'il ennuie Emma à cause de ça !

— Comment ça, qu'il ennuie Emma ?

J'en avais manqué un bout...

— Emma t'en a pas parlé quand vous vous êtes jasé tantôt ?

Mon cœur battait plus vite... et jusqu'au bout de mes doigts sur le clavier de l'ordinateur.

— Quoi ? Non !

— Steeve a écrit deux, trois pancartes en carton qu'il a collées dans les casiers. Dessus, il avait dessiné Emma et toi en train de vous donner un bec... J'peux te dire tout de suite qu'il a pas trop de talent en dessin, mais il a écrit des niaiseries qui, elles, étaient pas trop dures à comprendre !

J'étais fâché.

— Le maudit épais... Pourquoi Emma m'a rien dit ?

— Sûrement qu'elle voulait pas que tu te mettes de nouveau en colère... Écoute, tout le monde dans la classe trouve que c'est pas juste que ce soit toi qui aies écopé de la suspension... Marco la méritait cent fois plus!

J'étais bien d'accord avec lui... mais, maintenant, c'était fait...

— Bah ! Ouais, c'est pas le fun de voir qu'il ne perd pas son temps pour en rajouter !

J'pense en plus qu'il n'a pas vraiment besoin de Stéphanie pour être influencé... si tu vois ce que je veux dire !

— Écoute, Mady... j'suis désolé... J'pense qu'il a décidé de prendre son rôle de baveux au sérieux !

Malheureusement, j'allais devoir m'arranger avec ça.

— Moi qui pensais avoir la paix, cette année...

— T'en fais pas, mon vieux. Tu peux compter sur moi. S'il va trop loin...

Je pensais à Stéphanie qui se tenait avec lui, juste pour me faire du mal... Elle ne le comprenait pas, mais en fait, c'était à elle-même qu'elle s'en prenait. Steeve n'était vraiment pas un ami ni un gars bien. J'étais inquiet pour elle.

— Ouais... J'y pense pis... j'me dis que Stéphanie va peut-être avoir des problèmes à cause de lui... Je me sens un peu responsable... Je veux dire qu'elle se donne du mal pour me faire suer, mais j'espère qu'il lui arrivera rien. Elle a toujours été l'élève modèle, elle perdrait tous ses avantages.

— Ah ! Qu'est-ce tu veux faire… J'pense pas qu'elle va t'écouter si tu vas lui dire ça dans le creux de l'oreille !

— Ouais… je le sais.

— En tout cas, moi, je regrette pas d'avoir changé de bord !

C'était la première fois qu'il en parlait.

— Super ! Moi aussi, j'suis content d'avoir un chum de gars, ça faisait longtemps… J't'avoue par exemple que jamais j'aurais pensé que ça serait toi !

— Clair !

— Tu me comprends !

— C'est sûr… J'étais vraiment nul… mais j'en avais assez d'avoir des problèmes…

Il avait l'air de vraiment regretter ce qu'il avait fait… la preuve que dans la vie, on a toujours le choix et qu'il n'est jamais trop tard pour revenir en arrière. Enfin, c'est ce que j'avais lu récemment dans un tome du *Capitaine Aquidam*.

— En passant… comment ça va avec ton père ?

Édouardo avait commencé une thérapie avec lui après son retour du camp de vacances.

— Ben... disons que c'est pas facile... Mon père a vraiment un caractère très fort, et j'suis pas toujours convaincu... Mais j'pense qu'avec mes efforts à l'école et les siens, on va réussir à amener ça quelque part ! Pour l'instant, je reste avec ma tante, sa sœur en fait. Elle est à deux maisons de chez papa... C'était mieux, papa préférait ça. Il dit que, pour le moment, c'est mieux pour moi et que j'aimerais pas me ramasser en famille d'accueil... J'le comprends... Il vient quand même souper avec nous tous les soirs. Il a d'la chance que sa sœur ait personne dans sa vie.

— Oui... il a de la chance, et toi aussi. J'espère qu'il va changer... tu le mérites, mon vieux !

— Oui... enfin, c'est pas facile quand t'as pas d'mère non plus. J'aurais aimé ça, en avoir une...

Il n'avait jamais abordé ce sujet avant. Mais bon, il faut dire que je commençais à peine à le connaître. J'ai décidé de blaguer pour le dérider.

— J'vais te donner la mienne, alors ! Elle n'est pas du monde avec moi, ces temps-ci !

— Ah ! Dis pas ça, Mady ! Tu sais pas ce que c'est de pas en avoir. C'est pas toujours drôle.

Oups ! Je me sentais un peu honteux.

— Excuse-moi... C'est qu'elle me frustre pas mal. Elle comprend rien !

— Bah ! Elle va ben comprendre à un moment donné... Les filles sont comme ça !

— Macho, sors de ce corps !

— Lol !

Je rigolais bien moi aussi. C'était vraiment agréable d'avoir enfin un gars de mon âge à qui parler ! Depuis que Sébastien, mon meilleur chum, était parti du quartier, j'avais plus vraiment d'ami ici. Et c'est sûr que j'adorais parler avec Emma... mais il y avait toujours une retenue, quand même. Je ne voulais tellement pas lui déplaire !

— De quoi t'as parlé avec Emma ?

— Ben... de pas grand-chose...

Je n'étais pas encore prêt à tout dire.

— Sors-tu avec ?

J'ai senti le feu me monter aux joues, et j'étais pourtant tout seul devant un ordinateur dans ma chambre... Ça commençait bien !

— Ben non !

— Ouais… peut-être que tu devrais le lui demander avant que Corneille moqueuse le fasse, non ?

Je ne m'attendais pas du tout à cette possibilité… Édouardo savait-il quelque chose de plus que moi ?

— Pourquoi tu dis ça ? Elle t'a dit ce qu'il lui avait écrit ?

— Non… mais ça prend pas la tête à Papineau pour savoir qu'il a un œil sur elle ! Et peut-être même les deux !

J'étais raide comme une barre.

— Tu crois que je devrais lui dire ?

— Lui dire quoi ? Tu m'as rien avoué encore !

— Ah ! Arrête de faire l'innocent ! J'ai besoin de te faire un dessin, Édouardo ?

— Ben non… Mais si tu veux mon avis… la Corneille de Québec a le tour avec les nanas, comme il disait ! Tu ferais donc mieux de te déniaiser si tu veux pas qu'Emma pense que tu veux rien savoir d'elle, dans le fond !

Facile à dire.

— Aujourd'hui, y'avait une rumeur que, dans trois semaines, le comité des activités de l'école organiserait une danse dans la mezzanine !

— Pour vrai ?

— Ouep ! Je suis bien partant pour me trouver une cavalière, moi ! Je devrais peut-être m'attaquer à Stéphanie juste pour faire suer Steeve !

Édouardo était comique.

— J'suis certain que t'auras pas de misère ! Mais fais attention à Stéphanie ! Elle est pire qu'une sangsue !

Et moi, là-dedans? Est-ce que j'allais trouver le courage de demander à Emma de m'accompagner à cette soirée ?

— T'en fais pas pour moi !

— Je le sais bien, que t'es capable de te débrouiller, mais je te préviens quand même en ami !

J'ai regardé l'heure... ça faisait un bout qu'on s'écrivait, j'avais les doigts en compote. J'ai donc décidé de terminer notre échange.

— Hey, j'pense que je vais te laisser, mon vieux. Il se fait tard.

— Ouin... t'as raison, Mady ! Pense à ce que tu vas dire à Emma pour qu'elle veuille bien t'accompagner à la danse ! Hé ! Hé !

— Bah ! J'ai pas besoin de me casser la tête ! Elle va venir, c'est sûr !

— J'l'espère pour toi, en tout cas !

Il semait le doute dans mon esprit...

— Ha ! Ha ! A+

— A+

Je suis resté là pendant quelques secondes, à fixer l'écran d'ordinateur. Le curseur revenait, puis disparaissait. Et chaque fois que je le voyais réapparaître, je me demandais si je ne devrais pas rappeler Emma tout de suite pour l'inviter à la danse. C'était complètement ridicule ! Je n'allais quand même pas l'appeler de nouveau pour lui demander ça, quand même !

Je suis finalement sorti de mes pensées et je me suis étendu sur mon lit. J'étais fatigué... Méchante journée... le pire, c'est que ça continuerait demain.

Claudia récidive !

— Mady !

— Ah non ! Pas encore ! Quoi ?

Mon père hurlait dans le salon.

— Viens ici !

Je suis monté à contrecœur... Ma tête restait collée sur ma taie d'oreiller tellement j'étais fatigué, en fait. Mon père était assis en haut avec les deux jumelles et semblait en arracher.

— Quoi ?

— Julie est partie à la pharmacie chercher une suce. Claudia n'arrête pas de chigner... alors, elle voulait essayer ça... Mais là, je suis un peu mal pris ! Y'en a une qui a fini de boire et l'autre pas ! Peux-tu prendre Claudia avant qu'elle s'énerve trop ?

La même chose que cet après-midi ? Mais c'était le jour de la marmotte ou quoi ? C'était une roue sans fin ? De mauvaise humeur, j'allais la prendre pour aider mon père et oups ! J'ai réalisé qu'elle pouvait encore faire des dégâts. Ouach !

— Ah, non, papa ! Elle a vomi sur moi cet après-midi !

Mon père a roulé des yeux.

— Eh bien, prends une serviette au cas où, c'est tout ! Je suis mal pris, alors aide-moi !

— Ok...

J'ai donc ramassé une serviette dans la salle d'eau, puis je suis revenu à la rescousse de mon pauvre père.

— Bon, qu'est-ce que je fais ?

Mon père n'avait pas l'air trop sûr de lui... alors ses instructions étaient évidemment tout sauf claires.

— Bon... bon...

Voyant qu'il était un peu perdu, je me suis installé sur la chaise berçante devant le canapé, j'ai placé la serviette sur mon épaule, paré pour affronter le vomi le plus effrayant, et j'ai ramassé avec précaution Claudia.

— Fais attention à sa tête, hein ?

— Papa ! Tu voulais que je t'aide, alors laisse-moi faire, ok ?

Je me suis calé dans la berceuse avec le bébé braillard dans les bras... J'allais l'appeler comme ça, celle-là.

— Une vraie fille, hein ? Oui, t'es une vraie fille, ma cocotte, je te le dis !

Mon père agaçait la petite qui, elle, commençait déjà à me mettre les nerfs en boule. Un peu plus encore et elle me défoncerait le tympan.

— Papa ! Arrête donc, ok ?

Claudia se trémoussait comme un ver. J'étais de mon côté super fatigué et espérais que Julie reviendrait le plus vite possible.

— Voyons... qu'est-ce qu'il y a ? Elle arrête pas de bouger !

Question stupide... Mon père n'était vraiment pas capable de me donner une réponse, j'aurais dû y penser avant de parler.

— Je n'en sais rien, moi ! Elle se trémousse comme ça depuis tout à l'heure !

Mon père a pointé un biberon sur la table.

— Elle n'a même pas bu ! Or, il faut qu'elle boive en même temps que sa sœur, sinon les boires vont être décalés et on va être debout aux heures et demie...

Pauvre papa... Il avait déjà les yeux pochés comme un boxeur qui viendrait juste de finir un cinquième round contre le champion du monde... Il m'enlevait vraiment tout désir d'avoir des enfants un jour ! Ah non ! Je passerai mon tour, c'est certain !

— Ouais... J'pense pas que Julie va aimer ça, hein ?

— Non... surtout qu'elle croit qu'elle ira se coucher en revenant...

— Hum... Elle est optimiste... j'admire ça, c'est une belle qualité !

Mon père a eu un sourire en coin, trop fatigué pour être plus expressif.

— Claudia a l'air d'avoir mal quelque part, tu ne trouves pas ?

Ça ne prenait pas un diplôme de secondaire cinq pour s'en rendre compte. En effet, elle avait l'air d'avoir quelque chose qui clochait.

— Ouais... Je sais pas vraiment...

— Tape-lui un peu dans le dos pour la faire digérer, peut-être...

— Digérer quoi ? Elle a rien bu, non ?

Mon père a tiqué.

— Ah ! Essaie donc quand même, pour voir !

Claudia criait à tue-tête... C'est alors que je me suis dit que, de toute façon, je n'aurais pas pu dormir même si j'étais resté dans ma chambre, en bas... J'espérais juste que ça ne serait comme ça toute la nuit !

— Allez, bébé ! Arrête de pleurer...

Soudain, un énorme bruit sourd est sorti de cette petite chose... accompagné d'une odeur épouvantable qui est directement montée à mes narines, pour ensuite envahir mon système nerveux. Incroyable, il y avait là-dedans de quoi paralyser un éléphant ! J'ai failli m'évanouir, c'est pour dire...

— Ahhhhh ! Papa ! J'pense que j'le sais, pourquoi elle pleure de même !

Mon père, qui avait lui aussi senti l'odeur infecte, a fermé les yeux.

— Nom d'un chien... il va falloir la changer...

— Quoi ? Tu dis ça comme si tu ne l'avais pas encore fait ?

Je venais de comprendre que mon père n'avait pas encore fait l'expérience d'une couche bien remplie... Il avait plutôt laissé Julie s'en charger... jusqu'à présent.

— Papa ! Il est hors de question que je le fasse à ta place !

Mon père a fait des yeux de chien battu.

— Mais là ! J'ai Alice dans les bras ! Tu ne vas quand même pas m'abandonner, hein, fiston ? J'veux dire... les couches sont juste là...

Il tentait d'attirer ma pitié... alors que j'étais sur le point de tourner de l'œil ! Quant à Claudia, maintenant qu'elle s'était vidée, elle s'était endormie... bien au chaud dans la source de son inconfort.

— Bon...

J'avais maintenant deux choix. Soit j'attendais Julie avec cette odeur de pourriture dans les bras, soit je passais à l'action pour m'en débarrasser. Sauf qu'à ce moment-là, mon père saurait que j'étais capable de m'occuper de couches... Et je n'étais pas du tout certain que je voulais ça ! Il se reposerait trop sur moi, ce qui était hors de question.

— Mady, débarrasse-nous de cette odeur, s'il te plaît !

— Ahhhh ! Tu vas me devoir le triple de mon argent de poche, je te l'dis !

Eh bien, mon père a accepté sur le champ ! J'allais au moins tirer un avantage de cette situation...

— Bon, d'accord...

J'ai voulu installer Claudia sur la table à langer, dans le salon. Julie l'avait mise là parce que la chambre des jumelles était au sous-sol et qu'elle n'avait pas besoin de descendre tout le temps pour changer ses filles, comme ça.

Malheureusement, en mettant Claudia sur la table, la serviette que j'avais sur l'épaule lui est tombée sur le visage, ce qui l'a réveillée sur-le-champ et lui a fait pousser un hurlement.

— Bon Dieu ! Elle est ben criarde !

Mon père, toujours dans le divan avec Alice qui dormait dans ses bras, a rigolé de ma remarque... J'avais encore hérité de la corvée.

— Ris pas, papa ! Sinon, c'est toi qui vas venir t'en occuper !

Mon père a arrêté net de s'esclaffer… il avait intérêt.

Claudia avait une espèce de petit pyjama avec des boutons à pression. Un vrai jeu d'enfant à détacher. En une seconde, j'ai tout défait. Ses petites jambes étaient minuscules. J'ai attrapé une couche et la boîte de serviettes mouillées.

— Bon… bouge pas !

L'odeur était de plus en plus intense… vraiment de quoi lever le cœur !

— Ouach ! Maudit que ça pue !

— On le sait déjà, ça !

Mon père s'en permettait pas mal, je trouvais… mais maintenant que j'avais commencé, il était un peu trop tard pour s'arrêter. J'ai donc détaché la couche en prenant soin de vérifier comment Julie l'avait installée. Après tout, ça ne devait pas être si sorcier que ça…

La source de l'odeur s'est éveillée. Claudia me regardait avec ses yeux de chat siamois qui louche… et l'air super sérieux. Elle ne bougeait plus, l'air de dire : « Coudonc ? La changes-tu, ma couche, ou tu fais semblant ? » J'étais en train de me monter un vrai film… mais bon, j'imagine que c'était l'odeur qui me montait à la tête.

Justement, Claudia était pleine de la substance en question… et il y en avait partout ! Mon visage a sans doute dû paraître découragé, parce que mon père a éclaté de rire.

— Bon, bon ! Tu peux ben rire ! Le prochain coup, c'est moi qui vais me bidonner, croismoi !

Mon père était encore plié en deux… Façon de parler, bien sûr, parce qu'il n'avait quand même pas lâché Alice. Bon, il fallait que je me débarrasse au plus vite de cette odeur. J'ai donc pris mon courage à deux mains et j'ai commencé à essuyer la chose. En prenant bien soin de tout enlever… quand même, je ne voulais pas qu'elle recommence à pleurer. Ça m'a paru durer une éternité. Et quand le devant a été lavé… il restait encore l'arrière. Après plusieurs haut-le-cœur comprimés, j'ai attrapé ses petits pieds et je l'ai soulevée. Il y avait tellement de selles à cet endroit que la couche est restée collée à son derrière !

— Ahhhhh !

Mon père s'est retourné pour tenter de contenir son rire. Il avait intérêt…

— Viens par ici, toi…

J'ai finalement réussi à enlever la couche et à nettoyer ses fesses. L'odeur était si forte que j'ai cru à un moment donné que j'allais tourner de l'œil. Fier de moi, j'ai déposé Claudia et j'ai ramassé un sac à poubelle, histoire d'enfin pouvoir respirer un peu… J'avais à peine fini que j'ai senti un liquide chaud m'éclabousser le dessus de la main…

— Ah non ! Pas vrai !

Claudia avait uriné sur la table à langer… mouillant du coup son pyjama…et le piqué.

Encore une journée bonne pour le cinéma!

J'étais très fatigué parce que les bébés n'avaient pas arrêté de chigner de la nuit. Mais aujourd'hui, je m'étais promis de ne pas gâcher la journée en faisant la mine basse. J'avais envie que ça se passe bien avec mon père et Julie. Le problème, c'est qu'il fallait que je m'entende avec les deux à la fois. Quand papa travaillait, c'était plus facile, je n'avais que Julie à comprendre. Mais les choses n'étaient plus aussi simples qu'avant.

Julie était en train de beurrer ses toasts au beurre d'arachides en essayant de bercer avec ses deux pieds les petits sièges spéciaux dans lesquels se trouvaient les deux jumelles braillardes.

— Vous n'aviez qu'à dormir cette nuit ! Ce n'est pas de ma faute si vous êtes fatiguées ce matin !

Julie était visiblement super fatiguée. Mon père s'est approché pour se verser un verre de jus d'orange et lui masser les épaules.

— Ça a été une dure nuit...

— Ouais… à qui le dis-tu…

Je me suis dit que je pouvais peut-être proposer une activité pour changer leur routine.

— Hey ! Peut-être qu'on pourrait aller prendre une marche avec ta super poussette, qu'est-ce que t'en dis ?

Julie a froncé les sourcils.

— Est-ce bien toi qui me demandes ça ?

— Ben oui… pourquoi pas ? Je veux dire, ça va te faire du bien d'aller marcher un peu dehors, non ? Pis moi aussi, j'ai pas le goût de rester encabané dans la maison encore une autre journée !

Mon père a tiqué.

— Ouais… Tu ne dis pas ça pour sortir de la maison et ensuite partir au parc et la laisser toute seule, j'espère ?

Franchement, il me prenait pour qui ?

— Ben non ! J'essaie d'être serviable, moi !

Julie a déposé sa main sur mon avant-bras. Elle avait du même coup cessé de brasser les sièges avec son pied, et Claudia a éclaté en sanglots.

— Ah ! Elle a un caractère impossible !

Je trouvais qu'elle avait raison…

— Eh bien moi, je te dis qu'elle a le même caractère que Mady à son âge, au risque de me répéter !

Bon, bon... mon père s'était levé du mauvais pied. Il avait envie de régler ses comptes ou quoi ?

— Dis donc c'que tu veux, papa, ça me dérange pas !

J'ai donné à mon Gilbert, qui attendait perché sur mon épaule, un petit morceau de pomme que j'étais en train de manger. Il l'a avalé tout rond.

— En tout cas... moi, j'ai offert mes services... va savoir qui va venir avec moi ?

Julie s'est penchée pour prendre dans ses bras Claudia, qui n'avait pas cessé de chigner.

— Moi, je veux bien qu'on aille marcher ensemble, mais tu pousses la poussette, ok ? Je suis épuisée.

— D'accord !

Près d'une heure plus tard...

J'ai eu une pensée pour Emma en sortant de la maison avec Julie et les jumelles. Qu'est-ce qu'elle faisait ? Où était-elle en ce moment ?

Je trouvais ma situation plutôt plate et j'avais hâte de la retrouver à l'école. Ce n'était pas si grave que ça, si elle n'était pas toujours avec moi… mais le seul fait de la savoir disponible et de pouvoir la voir me comblait. J'étais de plus en plus amoureux… et cela me faisait un peu peur. Il allait falloir que je pense à me protéger un peu. Et si Corneille moqueuse était son préféré ? Et si je me faisais des idées ? Je sais que je me répète, mais j'avais de la difficulté à m'enlever ces pensées de la tête et il était hors de question que je les partage avec quelqu'un. C'était de l'ordre du privé, quand même !

— Ohé ! Viens-tu ?

Julie avait commencé à avancer sur le trottoir et moi, j'étais toujours derrière la poussette… à attendre le messie. Mais parlons-en de la poussette ! Un vrai char d'assaut ! C'était pesant et d'un look… Difficile de passer inaperçu avec un engin pareil !

— Je suis pas sûr qu'on puisse aller ben loin avec ça !

Julie m'a regardé, surprise.

— Qu'est-ce que tu veux dire ? J'ai quasiment mis une heure à les habiller et à les préparer.

Tu ne vas quand même pas me dire que tu ne veux plus marcher ?

— Non, ce n'est pas ça ! C'est que c'est vraiment pesant… Alors, on va faire un bout, pas de problème, mais il faudra qu'on pense au retour !

Julie a éclaté de rire.

— Dis-le donc, que tu trouves ma poussette un peu spéciale !

« Spéciale » était en dessous de la vérité… On aurait dit un ovni, plutôt .

— Non… c'est correct.

On a marché comme ça pendant un bon moment. J'avais chaud parce qu'il devait faire au moins 25° C à l'ombre. Je me suis donc promis une baignade en revenant.

— Je me disais…

Julie commençait toujours ses interrogatoires comme ça… Ça sentait le questionnaire à plein nez !

— Au camp… il y avait bien une fille que t'aimais bien ? Comment ça se fait que tu ne m'en aies pas parlé plus que ça ?

Elle voulait qu'on parle des filles… hum… là, je n'étais pas certain de vouloir pénétrer dans cette zone glissante…

— Ben... de quelle fille tu parles ? Y'avait pas mal de filles, là-bas.

— Voyons donc ! La petite Louve dont tu me parlais toujours dans tes lettres !

— Ah ! Elle ?

Elle ne m'avait même pas écrit depuis que j'étais revenu.

— Oui. Elle avait l'air d'être une belle petite fille ! Elle ne t'a pas encore écrit ?

— Non...

Julie voyait bien que je n'étais pas trop bavard sur ce sujet.

— Bon... elle va sûrement le faire... Il faut lui laisser le temps d'arriver, après tout !

Le temps... Ça faisait quand même déjà deux semaines qu'on était revenus ! Je trouvais qu'elle avait eu le temps en masse, moi. Mais bon, Emma avait reçu une lettre de Corneille seulement hier, après tout.

— Je sais... Elle va sûrement m'écrire, je préfère attendre.

Julie a sursauté :

— Quoi ? Toi, tu ne lui as pas écrit ? Voyons, Mady ! Tout le monde sait bien que les filles répondent aux garçons qui leur écrivent, et non le contraire !

Mais qu'est-ce qu'elle me chantait, là ?

— Qu'est-ce que tu peux être vieux jeu ! C'est plus comme ça, Julie !

— J'en suis moins sûre que toi!

Elle venait de semer le doute dans mon esprit... Peut-être Emma avait-elle envoyé une lettre à Corneille moqueuse ? Peut-être que Corneille lui avait répondu ? Peut-être que c'était elle qui lui avait envoyé une lettre en premier ? J'avais après tout attendu que Louve aventureuse m'écrive... même si je ne voulais pas vraiment poursuivre une relation plus profonde avec elle, j'aurais bien aimé qu'elle le fasse.

— Tu en fais une drôle de tête !

Julie m'observait du coin de l'œil.

— Ben non...

— Hum...

Une roue de la poussette s'est bloquée au même instant dans une fissure du trottoir.

— Ah ! Maudite cochonnerie !

— Ouais... quand la patience a passé, tu n'étais pas là, toi !

Julie pouvait bien commenter ma frustration... elle n'avait pas l'air bien mieux !

— Je sais pas ce qu'il y a de pris… elle veut pas sortir du trou !

Julie m'a aidé à pousser l'engin et l'impensable est arrivé. Un craquement s'est fait entendre et la roue s'est cassée en deux.

— Non ! C'est pas vrai !

Julie s'est attrapée la tête de ses deux mains. Nous étions à environ une trentaine de minutes de marche de la maison…

— J'espère que ton père n'est pas déjà parti faire les courses…

— Je l'espère moi aussi…

Si j'avais eu mon cadeau de fête… j'aurais pu appeler le principal concerné.

— Écoute, j'ai toujours pas le cell que j'avais commandé pour mon anniversaire manqué, donc difficile de le prévenir, alors j'espère que tu as le tien ?

Elle a alors formé un cercle avec sa bouche. Est-ce que c'était mon allusion à ma fête qui la mettait dans cet état ?

— Attention ! Tu vas avaler des maringouins !

Elle venait de réaliser qu'elle avait oublié son appareil.

— Premièrement… pour ce qui est de ta fête, Mady… je suis désolée… Tu auras un plus gros cadeau pour la peine ! Mais là… tu ne m'aimeras pas !

— Quoi ?

— Je n'ai pas mon cellulaire… il est resté sur la table de la salle à manger…

Julie s'est retournée pour regarder les voitures, qui passaient à toute vitesse sur le boulevard.

— Bon… tu vas devoir retourner à la maison et appeler ton père pour qu'il vienne me chercher… J'espère que les filles n'auront pas soif avant qu'il ne revienne, c'est tout… Bon Dieu ! Encore des ennuis ! Pas moyen de faire une promenade en paix ! Ahhhh !

Elle avait raison… C'était sans doute moi qui portais la poisse, comme d'habitude…

— Bon, j'y vais !

Je suis parti au pas de course.

E.T. téléphone maison !

Je suis arrivé à bout de souffle à la maison… Marcher, c'était une chose, mais courir sur une aussi longue distance, c'en était une autre.

J'étais épuisé ! J'ai fouillé dans ma poche pour en sortir la clé de la maison… mais je ne l'avais pas !

— Quoi ?

Et voilà que, d'un coup, ça m'est tombé sur la tête ! J'avais changé de bermuda juste avant de partir parce que je n'aimais pas la couleur de celui que je portais… J'étais dans de beaux draps…

— Qu'est-ce que j'vais faire ?

Je ne pouvais pas retourner sans rien auprès de Julie. Non, il fallait absolument que je trouve une solution ! J'ai donc décidé d'aller derrière la maison pour tenter de trouver une ouverture. Peut-être qu'il y avait une fenêtre d'ouverte, après tout. Je n'étais pas très optimiste, surtout qu'on avait l'air climatisé et que papa faisait attention à bien fermer toutes les entrées d'air. Et effectivement, pas la moindre opportunité.

— Bon, ben, j'ai pas le choix….

Je suis monté sur le patio pour me rendre jusqu'à la porte vitrée.

— Bon…

J'ai essayé de l'ouvrir… mais elle était bien entendu barrée. Je suis donc descendu de nouveau et je suis allé inspecter les vitres du sous-sol. Aucune n'était ouverte. Et si j'en cassais une, mon père serait furieux, donc je ne pouvais pas me le permettre !

J'ai donc traîné les pieds jusqu'à la cour avant et j'ai décidé de partir en courant pour le dépanneur le plus proche. Bon sang, j'étais déjà épuisé et assoiffé, c'était la cerise sur le gâteau ! Je ne courais pas aussi vite que tout à l'heure et le temps passait. Julie avait sans doute pas mal de problèmes avec les jumelles. Surtout avec Claudia, qui était déjà tout un numéro à l'intérieur de la maison, alors par 30° C au soleil, je n'osais même pas imaginer le cauchemar.

Après avoir dépensé toutes mes réserves d'eau à l'intérieur de mon corps, je me suis enfin retrouvé devant un petit dépanneur qui était aussi une station-service. Je suis entré en catastrophe dans la boutique. Il n'y avait personne, sauf un ado de mon âge et un homme à la caisse qui semblait être son père. L'homme s'est redressé, surpris.

— Je peux faire quelque chose pour toi ?

L'ado, quant à lui, me dévisageait.

— Ben oui… euh…. excusez-moi… j'ai le souffle court… j'ai tellement couru ! Ouf !

L'homme m'a souri.

— Prends le temps de t'en remettre, mon gars.

Il a fait signe à son fils de regarder l'heure… J'ai fait la même chose et ai vu qu'il était presque l'heure du dîner. L'ado allait sûrement à l'école et venait d'arriver au dépanneur… Il s'est effectivement levé et est allé derrière le comptoir, sûrement pour aller manger un morceau.

— Je suis désolé… j'aurais besoin de votre téléphone, monsieur.

L'homme m'a fixé, les sourcils froncés.

— Pourquoi ? D'habitude, je ne passe pas le téléphone, à moins que ça ne soit urgent ! Sinon, tous les jeunes du quartier viendraient ici, tu vois….

Il ne manquait plus que ça…

— Monsieur… ça va faire un bout que je cours…

Je lui ai alors expliqué la situation en quelques phrases.

— Je vous jure que c'est vrai ! Et quelque part sur le boulevard, ma belle-mère et mes petites sœurs m'attendent, voyez-vous ?

L'homme ne semblait pas encore me croire. C'est vrai que mon histoire était plutôt abracadabrante, je le savais. Mais il a finalement lâché du lest :

— T'as de la chance, mon gars... Je suis de bonne humeur aujourd'hui. Tiens !

Il m'a tendu l'appareil et j'ai enfin pu appeler mon père. Celui-ci a répondu après deux sonneries.

— Papa ?

— Mady ? Qu'est-ce qu'il y a ?

— Ah, tu veux pas le savoir ! La poussette de malheur ! La roue gauche s'est cassée et j'avais pas ma clé pour rentrer à la maison et t'appeler... Et Julie a oublié son cell sur la table... Et elle est restée au bord du gros boulevard avec les jumelles !

Mon père a éclaté de rire.

— Eh bien, quelle histoire ! Bon, j'arrive ! Justement, j'étais à la caisse en train de payer ! Je m'en viens !

— Papa !

Il avait déjà raccroché. Je n'avais même pas eu le temps de lui dire de passer me prendre au dépanneur. J'allais donc devoir retourner à la maison à pieds ! Et moi qui aurais pu avaler le Saint-Laurent au complet, je n'avais pas un cent sur moi !

— Excusez-moi encore… Vous n'auriez pas un verre d'eau ?

L'homme m'a souri.

— D'habitude, je vends l'eau en bouteille mais, pour toi, je vais faire une exception ! Tu m'as l'air un peu mal pris !

— Ah ! Merci !

Il s'est retourné vers son fils.

— Fred ! Va chercher un verre d'eau dans la cuisine, ok ?

Toujours souriant, il m'a fait passer derrière le comptoir.

— Viens avec moi, je vais faire chauffer mon lunch pendant ce temps !

La cuisine était la première pièce de l'appartement situé derrière le dépanneur. Je supposais que ça devait être bien pratique, de ne pas avoir à traverser la maison pour surveiller le commerce. En regardant un peu plus en détail, j'ai trouvé que l'endroit était sympa, avec une déco légèrement rétro. Fred a mis son lunch dans le four à micro-ondes.

Il avait l'air d'un gars sympathique. Il avait les cheveux en broussaille un peu comme moi, mais il avait aussi de grosses lunettes noires qui lui donnaient un look d'enfer. Bref, il avait l'air cool. Il m'a tendu un grand verre rempli d'eau fraîche.

— J'te remercie ! lui ai-je dit en m'emparant de ce trésor bleu, que j'ai bu en deux gorgées.

— Déjà ?

— Ouais… j'étais sur le point de mourir de soif !

— J'vois ça !

Il s'est appuyé contre le comptoir et je me suis retourné pour sortir, légèrement gêné de m'être incrusté comme ça… Après tout, j'étais dans sa maison.

— Attends ! Tu viens d'où ? Me semble que je t'ai déjà vu, non ?

— Sûrement ! Je suis déjà venu avec mon père mettre de l'essence ici. J'habite plus loin, à un pâté de maisons.

— Ouais… t'en as couru une *shut*, alors !

— Je sais, oui… J'ai pitié de ma belle-mère… sauf qu'à l'heure qu'il est, mon père doit l'avoir rejointe, c'est sûr. J'ai même pas eu le temps de lui dire de venir me chercher ici, c'est niaiseux.

— C'est quoi, ton nom ?

— Mady…

— Cool. Moi, c'est Fred !

Instinctivement, nous nous sommes fait une poignée de main.

— Content de te connaître ! Mais t'es pas à l'école, toi ? Moi, je suis en heure de dîner, mais toi ?

Je lui ai expliqué en deux minutes la bagarre et toutes ses conséquences, dont mes trois jours de suspension.

— Wow ! Tu commences l'année en grand, toi ! Une chance que tu vas pas dans ma poly, t'aurais même pas pu y revenir ensuite ! C'est super sévère où je vais.

— Ah…

J'étais mal à l'aise parce que je passais pour un *bum*… alors que j'en n'étais pas du tout un.

— Tu sais, c'est normalement pas mon fort, de me battre… C'est juste que ce gars avait, disons, touché à quelqu'un à qui je tiens vraiment beaucoup.

Fred a souri.

— Ah ! Ces filles, elles nous en font faire, des choses !

Je me suis senti devenir rouge vin... Édouardo avait bien raison, il fallait vraiment que je travaille là-dessus !

— Ouais... les filles...

— En tout cas, si tu veux m'attendre, je vais retourner à la poly en skate. Et comme j'en ai deux, si tu veux, on pourrait partir ensemble. Je t'en prêterai un et tu me le rendras chez toi. Ça te dit ?

Moi qui avais vraiment la langue à terre, ça ne pouvait pas mieux tomber.

— Super ! J'accepte ! La poly est sur ce chemin ? Je connais pas beaucoup la ville de Longueuil... Mon père a emménagé seulement cet hiver.

— Oui ! C'est juste de l'autre bord du gros boulevard.

Je n'étais généralement pas celui qui avait le plus de conversation... J'étais un peu gêné de nature. Heureusement, la sonnerie du repas congelé a sonné, et Fred s'est mis à table, fourchette en main.

— T'en veux ?

— Oh, non… J'vais manger chez moi, t'en fais pas ! J'te remercie quand même !

Il a mangé avec appétit pendant que je regardais les alentours. La maison semblait bien décorée, donc il y avait probablement une femme qui habitait dans cette maison.

— Ta mère vit avec vous ?

— Bien sûr, mon vieux ! Et j'ai intérêt à mettre de l'ordre dans la cuisine en partant, sinon j'vais en entendre parler en revenant ce soir !

— Ouais, je comprends parfaitement ce que tu veux dire !

Eh oui, une autre mère comme la mienne…

— Bon !

Il avait terminé son assiette.

— On va pouvoir partir ! Une belle journée comme ça, j'préfère toujours faire du skate que de rester encabané !

— J'suis bien de ton avis !

Il s'est contenté de sourire et a crié à son père qu'on sortait par-derrière.

— À tantôt, mon gars ! a répondu celui-ci.

Je ne pouvais quand même pas partir sans le remercier.

— Merci, monsieur, pour tantôt !

— De rien ! Bon retour, mon garçon !

J'ai suivi Fred à travers la maison. Juste avant de sortir, j'ai croisé un chat blanc qui me regardait avec insistance. Je me suis donc arrêté pour le flatter.

— Eh ben, ça m'étonne que tu puisses la flatter ! Elle est sauvage, d'habitude... y'a juste ma mère qui peut s'en approcher.

— Elle a les yeux comme moi, c'est pour ça...

Fred a poussé la porte d'entrée.

— J'avais ben remarqué ça ! Mais j'allais quand même pas te dire que ma chatte avait un point en commun avec toi en partant, hein ? Ça t'aurait insulté !

En effet, je n'aurais sûrement pas aimé ça. Mais la chatte avait tout de même un œil bleu et un vert comme moi.

— Alors... elle s'appelle comment ?

Fred a éclaté de rire.

— Chose Bine ! C'est le petit nom que ma mère lui a donné. Ma mère est ben spéciale !

J'ai flatté Chose Bine une dernière fois et je suis sorti avec Fred dans la cour arrière du dépanneur. Ça me donnait une autre vision de l'endroit, car c'était finalement bien plus grand que je l'aurais imaginé en avant.

— Tiens !

Il a fait rouler un skate vers moi avec son pied.

— Merci !

De retour à la maison

J'ai pris le temps de remercier mon nouveau copain à lunettes.

— Merci, mon vieux ! C'est ici que mon père reste !

— Cool ! C'est beau !

— Merci ! Hey, tu viendrais me voir la fin de semaine prochaine ? Enfin… oui, c'est vrai, dans deux semaines… Je pars demain soir pour retourner chez ma mère à Montréal.

Fred m'a fait un signe affirmatif.

— Ouais, pourquoi pas ? J'ai ben aimé jaser avec toi. Alors cool, je vais revenir ! À plus !

Il a ensuite sauté sur sa planche en me faisant un salut, puis est parti en direction du boulevard.

Pendant que Fred s'éloignait, mon père est sorti de la maison les bras en l'air, comme l'aurait dit ma grand-mère Thérèse.

— Oh, mon pauvre ! J'ai oublié de te demander ou tu étais, tout à l'heure ! J'espère que tu n'es pas fâché !

C'est vrai que j'aurais pu l'être. Mais là, j'étais loin d'être frustré, car je venais de me faire un nouvel ami que j'avais bien hâte de présenter à Édouardo. Si jamais celui-ci venait à Longueuil, on pourrait organiser une rencontre à trois !

Expédition au Ranch des Libellules !

Finalement, je suis revenu un peu brutalement chez ma mère, après un séjour plus que mouvementé chez mon père. Et comme pour le faire exprès, ils se sont à nouveau disputés, cette fois-ci sur le fait que ma fête avait été oubliée, chacun essayant de mettre la faute sur le dos de l'autre. Je n'en demandais pas tant, moi ! Je voulais juste avoir un cellulaire comme tous mes amis ! Ma mère m'a enfin promis de se rattraper.

J'étais maintenant bien assis dans le cours d'art dramatique de madame Colette. Emma, qui ne m'avait pas lâché depuis que j'étais revenu, s'est penchée pour me parler à l'oreille.

— C'est en fin de semaine, la sortie pour les chevaux !

— Quoi ?

J'étais nerveux ! Je voulais y aller avec elle, mais comme j'étais absent au début de la semaine, je n'avais pas remis mon formulaire pour l'option.

— Mais là, je n'ai pas pu m'inscrire, moi ! Comment ça se fait que c'est dès la première fin de semaine ?

Emma avait un petit sourire en coin.

— Franchement ! Tu devines bien qu'Édouardo et moi, on a arrangé ça !

— Comment ça ?

— Ben... on a imité ta signature et on a convaincu ta mère de signer le papier après l'école...

Elle avait vraiment du culot ! Mais j'aimais ça !

— Alors, tu veux dire que je vais pouvoir y aller ?

Elle m'a fait un petit clin d'œil.

— Eh oui !

Elle était belle, aujourd'hui, avec ses deux tresses de cheveux blonds. Je n'avais pas envie d'écouter madame Colette, j'avais juste envie de parler avec elle. Je m'étais tellement ennuyé.

— Alors, mes deux petits tourtereaux ? Il va falloir écouter un peu plus si vous voulez faire le spectacle de fin d'année !

« Deux petits tourtereaux » ? Mais enfin. Qu'est-ce qu'elle disait ? Et devant toute la classe, en plus ! Normand, le chum de Steeve, a éclaté de rire.

— Eh ! m'dame Colette a vu juste, hein, les gars ?

Il s'adressait bien sûr à Marco et à Steeve.

— Voulez-vous bien la fermer !

J'étais déjà debout, en train de défendre mon honneur devant toute la classe.

— Un peu de la patience, monsieur Mady ! On se calme !

Madame Colette me pointait du doigt sévèrement, et Emma me tirait par la manche de mon chandail. Quant à Édouardo, il avait les deux mains dans la face.

— Je vous rappelle, monsieur Mady, que vous revenez tout juste de trois jours de suspension. Alors, si vous ne voulez pas y retourner, vous devriez peut-être vous rasseoir gentiment !

Ce que j'ai fait sur-le-champ sans broncher… Je m'étais encore une fois emporté.

— Pardon, m'dame…

— Bon ! Comme vous voulez vous produire en spectacle, vous serez donc le premier, très cher ! Venez sur scène !

J'avais vraiment une tête à m'attirer tous les ennuis du monde, moi... Ça y est, j'allais encore me faire ridiculiser... à moins de bien performer... ce qui allait me demander un effort considérable, gêné comme j'étais. La professeure continuait sa présentation :

— Je voudrais, mon cher, que vous mimiez le singe... histoire de montrer à tous combien votre talent d'imitateur est bien développé !

Elle me niaisait, par-dessus le marché !

— Vous devriez plutôt le demander à Marco ! C'est lui, le meilleur à ça !

Elle a fait comme si elle ne m'entendait pas, et j'ai dû faire face à la classe au complet dans les gradins de l'amphithéâtre qui me regardait, l'air de dire : « Vas-y, plante-toi ! »

— OuouOUouOU !

J'étais ridicule... mais Emma a commencé à rire aux éclats. Ça m'a encouragé et j'ai alors joué le tout pour le tout ! J'ai sauté partout, je me suis roulé par terre et j'ai lâché mon fou ! Même madame Colette semblait surprise !

— Voilà qui est très bien, monsieur Mady ! Vous pouvez aller vous asseoir !

Finalement, ça s'était bien passé... et en plus, j'avais eu la chance de me défouler !

Le seul hic, c'est sûrement que Steeve allait maintenant m'appeler le babouin. Mais bon, qu'est-ce que ça pouvait bien faire, après tout ?

— Tu étais super drôle !

Emma m'a accueilli en héros à ma place.

— Voilà ! Maintenant, que la glace est brisée, vous allez passer chacun à votre tour ! Voici le thème du cours d'aujourd'hui : nos amis les animau.

Tout un retour en classe !

Jour J

Avec les cours qui avaient repris… disons que la tension dans l'air s'était un peu dissipée. On était maintenant samedi matin, et il fallait que je me rende à l'école pour prendre le bus qui nous amènerait tous au Ranch des Libellules, au nord de Montréal. Quand je dis « tous », je parle bien sûr du groupe de fous qui avait décidé de s'inscrire à cette espèce d'activité juste bonne pour ceux qui aimaient se casser la figure et puer la sueur d'animal.

Bon, oui, j'avais un peu peur des chevaux et espérais que cette journée ne serait pas ma dernière. Mais, après le camp de vacances, j'étais paré à tout, maintenant. Alors, j'ai attrapé mon lunch, mon sac à dos et mon iPod, histoire de partager quelques morceaux de musique avec Emma dans le bus. Ma mère n'était pas à la maison, elle travaillait tôt ce matin. J'étais donc seul… et ça faisait bien mon affaire.

J'ai descendu les escaliers quatre à quatre et j'ai enfilé mes espadrilles à la vitesse de la lumière. Il ne fallait surtout pas que je manque l'autobus, moi qui avais de la difficulté à être à l'heure ! J'allais passer une journée complète avec Emma… wow !

J'ai barré la porte d'entrée et j'ai filé à pieds jusqu'au point de rendez-vous. Emma et Josée attendaient sur place bien sagement, en compagnie d'Édouardo. Dans le groupe près d'eux, il y avait Normand, Steeve et Stéphanie… et d'autres gars et filles à qui je ne parlais pas beaucoup en temps normal.

— Ah non…

Je n'étais pas inquiet de ce qu'ils pouvaient me faire… mais plus de mes pertes de contrôle… J'avais du chemin à faire à ce niveau-là, je le savais.

— Mady !

Emma s'est jetée sur moi et m'a presque arraché les écouteurs des oreilles.

— Qu'est-ce que t'écoutes ?

— Bah ! Rien de ben stressant... J'essaie de me détendre !

J'avais mis dans mon iPod de la musique de méditation parce que j'avais bien besoin de me calmer les nerfs... Emma m'a un peu niaisé :

— Besoin de te détendre ? Tiens donc ! T'es un brin stressé, toi ?

Édouardo m'a souri et est venu me chuchoter à l'oreille.

— Tu devrais le lui demander aujourd'hui, pour la danse à l'école.

— Tu penses ?

— Mais oui... Elle avait hâte que tu arrives, en plus !

Ouais... il fallait vraiment que je me déniaise, là... sinon, j'allais perdre ma chance de danser avec elle. Je n'étais pas très bon danseur parce que je n'avais pas beaucoup d'expérience là-dedans, mais ce n'était pas une raison pour ne pas inviter Emma.

— T'as raison !

Il m'a fait un petit sourire entendu, et l'autobus s'est pointé dans le stationnement.

On devait être une vingtaine. Monsieur Jean, le professeur d'éducation physique, et la monitrice de la sortie à l'écurie étaient là pour nous ramener sains et saufs après notre journée d'initiation à l'équitation.

— Tout le monde en rang!

Monsieur Jean voulait montrer à la monitrice que ses élèves étaient ordonnés et disciplinés... et il avait du travail à faire, le pauvre! Tout le monde piaillait comme des poules, et le silence n'a été obtenu qu'une fois dans l'autobus. Il a même dû se servir de son sifflet pour obtenir l'attention.

— Bon! Allez-vous m'écouter, à la fin?

On entendait des petits ricanements, par-ci par-là.

Emma, elle, s'est calée dans son siège pour reposer sa tête. De cette façon, elle n'était plus visible par le conducteur. Elle m'avait attiré sur le banc avec elle... et j'étais pas mal content. Édouardo n'arrêtait pas de me faire des clins d'œil. Il fallait que je lui fasse ma demande dans l'autobus... et que j'en aie le courage!

— Bon! On a environ une heure de route à faire. Une fois arrivés au ranch... vous n'aurez qu'à vous mettre en rang devant la grosse porte de la grange. On prendra les présences et Hélène, la directrice de l'écurie, vous la fera visiter avant que nous attaquions les choses sérieuses !

Après son explication, monsieur Jean s'est rassis et le bus est parti. Emma s'est collée contre moi.

— Ah ! Tu sens bon, Mady !

J'avais le feu aux joues et j'étais certain que ça paraissait.

— Ah ! Euh... merci... Je mets pas de parfum, pourtant...

Elle a fermé les yeux.

— Bah ! T'as toujours eu cette odeur. Ça doit être la tienne, c'est tout !

J'étais sur un petit nuage... C'était un bon début.

— Toi aussi, tu sens bonne, tu sais...

Elle m'a fixé avec ses beaux yeux bruns comme des lacs de chocolat.

— Merci...

J'avais les mains toutes moites et j'étais tellement nerveux que j'avais des remous dans le ventre. Il fallait VRAIMENT que je lui demande... Je ne pouvais pas rester toute la journée comme ça !

— Euh...

— Hey, Mady ?

Normand m'appelait depuis l'arrière de l'autobus. Juste au moment où j'allais enfin me décider... Maudit fatigant !

— Tu devrais pas répondre. Certain qu'il veut te niaiser, encore.

Je n'en avais rien à faire.

— Qu'est-ce que tu veux ?

Normand a éclaté de rire en regardant Steeve.

— J'me disais que t'allais devoir faire attention aux chevaux, là-bas ! Y faudrait pas qu'ils te prennent pour une carotte, avec ta touffe, là !

Il pointait mes cheveux. La moitié de l'autobus a éclaté de rire. C'était certain que sa joke était bien placée... Je me devais d'y répondre. Je me suis donc levé et lui ai lancé du tac au tac :

— Regarde-toi, plutôt ! Il faudrait pas non plus que les chevaux te prennent pour une botte de foin, hein ? Y'a du chemin à faire côté capillaire pour toi aussi, mon vieux !

Normand s'est touché la moumoute qui lui servait de cheveux et s'est rassis sous les hurlements des autres gars et filles autour de nous.

En effet, Normand avait les cheveux blonds, mais il n'avait pas trop de talent pour les peigner... comme la plupart des gars, de toute façon.

Je me suis rassis à mon tour et j'ai vu monsieur Jean qui fronçait les sourcils, mais arborait aussi un léger sourire en coin. Je pense qu'il était content de ma réponse... pour une fois, je ne m'étais pas trop emporté. Édouardo, lui, avait l'air d'être en grosse discussion avec Josée, l'amie d'Emma. Il avait choisi sa cavalière, semblait-il... Restait à savoir si elle accepterait de l'accompagner.

— Qu'est-ce que tu voulais me dire avant que ce gros cave commence à dire des niaiseries ?

— Euh... je voulais te demander...

J'étais terrorisé... Et si elle me disait non ? Allez, il fallait se lancer une bonne fois pour toutes.

— Je voulais savoir si tu avais entendu parler de la danse que le comité des activités sociales organise...

— Qui n'en a pas entendu parler ! C'est cool, hein ? J'ai pas mal hâte !

— Ben... je me demandais si...

Courage !

— Si tu voulais bien venir avec moi ! J'veux dire, être avec moi pour la soirée…

Ça a été à son tour de rougir…

— Oh… euh… oui… ça va me faire plaisir !

YES ! J'étais aux anges ! Après tout, elle m'aimait encore !

— Super ! Je suis content !

Elle s'est contentée de sourire, et sa main a cherché la mienne. Et quand elle l'a prise, j'ai cru que j'allais flotter sur le banc tellement je n'en revenais pas !

Le Ranch des Libellules !

Après le moment magique passé dans l'autobus… on passait à un moment de crottin ! Nous étions tous collés les uns aux autres devant la porte de la grange, et les présences avaient été prises. Monsieur Jean avait d'ailleurs été obligé de remettre Steeve à sa place une fois pour toutes. Il l'avait repoussé dans le fond du groupe et lui avait ordonné de se taire. Il s'était même empressé de lui dire de garder sa salive pour parler avec son cheval… J'avais trouvé ça ben drôle… pauvre cheval qui allait être pris avec lui !

Emma sautillait sur place. Elle avait bien hâte de rentrer à l'intérieur de l'écurie. Mais de mon côté, j'essayais plutôt de remplir mes poumons d'air frais avant d'étouffer !

L'animatrice s'appelait Hélène et elle semblait vraiment sympathique…

— Bon, ok ! Je vais vous faire visiter les installations et ensuite, on va sortir par-derrière et se rendre jusqu'au terrain rond. On y formera les groupes et vous pourrez partir en randonnée pour la journée. J'espère que vous êtes prêts ! On va vous donner une petite formation avant, ne vous inquiétez pas ! De toute façon, les chevaux qu'on a choisis pour vous sont bien dociles, vous allez voir.

Au moins, elle avait l'air certaine de son affaire. Emma m'a attrapé par le bras.

— Tu vas voir ! Ça va être débile !

Elle semblait aussi confiante que l'animatrice.

— As-tu déjà fait du cheval, toi ?

— Non ! Pourquoi ?

Emma était tellement optimiste que je ne voulais pas la décourager… Mais je trouvais que ça avait l'air pas mal compliqué, moi !

On est finalement entrés dans l'antre du crottin. Il devait y avoir une cinquantaine de chevaux, tous biens cordés dans des boxes avec leurs noms écrits dessus.

— Wow !

Emma était émerveillée, alors que moi, j'avoue que je cherchais déjà mon air ! J'ai pris une bouffée de ma pompe pour l'asthme… il valait mieux prévenir que guérir ! Ça sentait à fond l'ammoniac sur place.

— Ça va ?

— Ben tiens ! Y'a rien là ! J'ai juste hâte de te montrer comment on monte un cheval, moi !

Emma a éclaté de rire et Hélène, la monitrice, a sifflé pour avoir notre attention.

— Ok ! Ici, on a les boxes des pensionnaires. Ce sont des chevaux qui appartiennent à des gens qui viennent pratiquer ici. Allons par là !

Elle a pointé l'autre côté de l'allée.

— Là, ce sont les cheveux de l'écurie ! Venez par ici !

Elle a ouvert une petite porte en bois.

— Ici, c'est la sellerie. Comme vous pouvez le voir, tout est bien ordonné et classé.

C'était immense. Il y avait des selles et des rênes accrochées partout. Mais ce qui semblait être un fouillis pour moi avait l'air très bien organisé pour elle !

— Bon… regardez bien où vous mettez les pieds, ok ? Quelquefois, il se peut que certains pensionnaires nous laissent de petits cadeaux indésirables ! Et en parlant de petits cadeaux, les toilettes sont par là !

Emma a éclaté de rire, imitée par Josée qui a attiré mon attention, si bien que j'ai vu qu'Édouardo la regardait les yeux dans la graisse de bine ! Ah ah ! Il allait falloir que je l'agace un peu avec ça !

— Bon, ok, on va sortir ! Je vais vous présenter les différents groupes que nous avons formés et ensuite, les moniteurs vous donneront la petite formation !

Petite formation éclair !

Hélène nous a amenés derrière la grange, dans ce qu'elle appelait le « ring rond »… loin d'être un ring de boxe, heureusement… ou pas, car on aurait dit un vrai marécage ! Elle nous a après demandé à chacun de nous nommer et nous a divisés en petits groupes de quatre.

Elle m'a bientôt pointé, puis Édouardo, Emma et Josée. Yes ! Nous serions ensemble ! J'étais aux anges ! J'avais eu une peur bleue d'être séparé d'Emma lorsqu'elle avait parlé de former des groupes. Après tout, j'étais venu ici juste pour elle, ça aurait été trop bête.

Une fois que cinq groupes ont été formés, Hélène a dit :

— Bon ! Comme vous pouvez le voir, de l'autre côté dans la petite prairie, il y a des moniteurs et des chevaux qui vous attendent ! Juste là !

Elle a pointé une espèce de piquet en bois, autour duquel les chevaux étaient tous retenus par des rênes.

— Bon ! Voilà ! C'est maintenant qu'on se sépare ! Vous aurez droit à une belle journée d'équitation si tout le monde respecte les règles de son instructeur ! Je compte sur vous, d'accord ? On se revoit à la fin de l'après-midi.

Et en nous montrant du doigt, mes amis et moi, elle a ajouté :

— Vous, vous allez rejoindre Cassy. Elle va vous présenter à vos chevaux.

Cassy ne portait pas vraiment bien son nom, parce qu'elle n'était pas loin de ressembler à un bûcheron. Bref, elle n'avait pas trop l'air féminine ! Une vraie dure, avec le visage rond, les cheveux courts, et le chapeau de cow-boy pardessus le marché. C'est simple, on l'aurait crue tout droit sortie d'un film de Far West !

— Ouin... Elle a l'air bête, notre instructrice !

Édouardo était taquin comme à son habitude.

— Chut !... Ne commence pas de même, ou elle va nous faire passer un mauvais quart d'heure !

Elle nous a salués dès que nous sommes arrivés devant elle.

— Salut ! Je m'appelle Cassy ! Ça va ?

En disant ces mots, elle a craché sa gomme par terre et a reniflé un bon coup. Je n'en revenais pas.

— Oui... ça va...

J'avais répondu en chœur avec les autres, qui eux aussi trouvaient cette femme bizarre.

— Bon ! Comme vous pouvez le voir, on va s'amuser avec des animaux qui pèsent entre trois-cent-cinquante et cinq-cent-cinquante kilos chacun ! Alors, faites gaffe, ok ? Ce ne sont pas des joujoux !

J'étais d'accord avec elle. Je n'arrivais d'ailleurs pas à croire que j'allais m'asseoir sur l'un de ces monstres… enfin, je tenais à la vie, quoi !

— Je suppose que pour vous autres, c'est la première fois que vous allez monter. Je me trompe ?

Elle ne nous a pas laissé le temps de répondre et a directement poursuivi son instruction.

— Bon, alors règle numéro un : avez-vous tous visité les toilettes ? Parce que je n'ai pas envie de retourner à l'écurie toutes les deux minutes !

Je ne m'attendais pas à ça comme règle numéro un…

— C'est le silence… alors j'vais prendre ça pour un oui ! Je continue donc.

Emma m'a poussé dans le dos et m'a chuchoté à l'oreille.

— Tu vois… elle a de l'expérience ! Ça va bien aller, tu vas voir !

Elle blaguait ou quoi ? C'était bizarre comme situation. Cette Cassy me faisait une drôle d'impression.

— Pour le reste, ce n'est pas compliqué ! Il faut que tout le monde se suive à la queue leu leu, c'est tout. Pas de retardataire ni de course, ok ? Un espace d'un cheval entre chacun !

Josée a osé poser une question.

— Pourquoi ?

— Pour éviter les ruades, ma belle !

— C'est quoi, des ruades ?

Cassy a soupiré et s'est penchée pour détacher un premier cheval.

— Des coups de pied de cheval, pardi ! C'est plus clair comme ça ?

Josée a acquiescé et moi, j'ai avalé péniblement toute la salive qui me restait. J'étais de moins en moins partant pour faire cette activité... et j'espérais que Cassy me donnerait une vieille bête pacifique.

— Bon, tiens, justement... je te donne Maya, ma belle. C'est une bonne jument. Tu vas monter et ensuite, tu vas attendre dessus... Surtout, tu ne dis rien et tu ne bouges pas les rênes, comme ça elle ne bougera pas. Quel est ton nom ?

Josée lui a répondu tout en s'approchant.

— Tiens, monte !

Cassy avait emmené une espèce de podium avec des marches pour nous aider à grimper sur les canassons. Et oui, je comptais bien l'utiliser ! Il était hors de question qu'elle me pousse sur les fesses, celle-là !

— Quand tout le monde sera prêt, on va monter ensemble au sommet de la petite butte... et on va attendre les autres, ok ? Donnez-moi vos lunchs, en passant. Je vais les mettre dans les sacoches.

Les autres ? Qu'est-ce qu'elle voulait dire par là ? Je n'ai pas pu m'empêcher de demander :

— Quand vous dites « les autres »... vous pensez à qui ?

Cassy a soupiré.

— Ben, le reste de ton groupe, voyons ! On part tous ensemble à la queue leu leu... Ensuite, on va s'arrêter ensemble pour manger et revenir sur nos pas. Tu croyais quoi ? Qu'on partait tous seuls au diable ?

Je ne l'aimais vraiment pas beaucoup, cette Cassy. Et je n'avais pas pensé ni prévu que Steeve et Normand me suivraient lors de notre promenade.

— Ok... je le demandais comme ça !

Édouardo m'a fait un petit clin d'œil.

— T'en fais pas, mon gars ! Qu'ils viennent nous écœurer, eux autres, pour voir ! Je leur laisserai pas le loisir de gâcher ma journée, si tu vois ce que je veux dire !

Il a pointé Josée d'un signe de la tête.

— J'ai bien l'intention de la convaincre de m'accompagner à la danse… fait que… Steeve est mieux de pas me niaiser aujourd'hui !

Édouardo avait l'air déterminé… et moi… il fallait que je me tienne tranquille, puisque si je me mettais dans le pétrin, je risquais gros à l'école… et à la maison. Bref, il ne fallait pas risquer de tout perdre et que ma mère décide, par exemple, de m'interdire d'aller à la danse !

— Ouais… ok…

Cassy m'a fait signe d'approcher.

— Tiens, tu vas prendre Joncus ! C'est un bon étalon. Un peu rapide, mais soumis !

Comment, un peu rapide ? Qu'est-ce qu'elle voulait dire par là ?

— Euh… Vous êtes certaine qu'il me faut celui-là ? Il est pas mal gros…

Elle a éclaté de rire. Emma m'a en même temps poussé du coude.

— Voyons Mady ! Tu vas pas te dégonfler, quand même ! Regarde, Josée a l'air de tripper, elle !

En fait, Josée se plaisait bien sur son nouveau trône et, juste à voir son sourire, on devinait qu'elle adorait ça. Le cheval a poussé un hennissement et j'ai automatiquement reculé d'un pas.

— Y'a pas moyen que j'en aie un plus petit ?

Cassy n'avait pas la langue dans sa poche.

— Plus petit que ça, mon gars, c'est un poney ! Allez, déniaise-toi, le jeune ! Il n'y a rien de dangereux !

Elle avait touché mon orgueil. Il fallait que je montre à Emma que j'étais plus fort que ça.

— Ok, ok ! C'est correct.

J'ai avancé vers la bête en question. Joncus m'a regardé droit dans les yeux. J'avais la chienne devant la grandeur de sa tête et de son corps. On aurait dit un vrai cheval de l'époque médiévale, avec son pelage noir et ses grosses pattes ! J'étais paralysé par la peur.

— Allez ! Monte ! Il va falloir accélérer si on veut partir! Les autres groupes sont rendus plus loin !

J'avais les jambes tellement molles que je ne sais pas où j'ai trouvé le courage de grimper… mais je l'ai fait ! Une fois sur le dos du cheval, je me suis senti pas mal soulagé. Même si ce qui s'en venait m'effrayait aussi un peu. Effectivement, savoir que les deux pires nonos que j'avais jamais connus (en dehors d'Édouardo avant) allaient nous suivre ne me rassurait pas du tout !

Mais on y penserait le moment venu. Pour l'instant, je devais prendre les rênes dans mes mains. Emma et Édouardo ont eux aussi hérité d'assez grands chevaux, puis Cassy est à son tour montée en selle sur une bête qui avait l'air d'avoir du caractère. Un peu comme elle, quoi !

— Bon ! Écoutez-moi bien, mes petits comiques !

Elle était quand même drôle, et Emma a éclaté de rire.

— Ok ! Pour tourner à droite, on tire un peu sur la bride… comme ça !

Elle a fait une petite démonstration.

— À gauche, c'est dans l'autre sens. Ce n'est pas sorcier, hein ? Mais ne tirez pas trop fort, parce que les chevaux n'aiment pas ça quand on rentre trop dans leur bouche ! Enfin, quand je dis « on », je veux parler du mors des chevaux, puisqu'il est installé dans leurs bouches !

J'ai souri malgré mon stress. C'était un vrai numéro, cette fille-là !

— Ok ! Pour avancer, ce n'est pas dur ! Une petite pression sur les flancs et hop ! Le voilà parti !

En effet, son cheval trottait devant nous.

— Pour arrêter, ça n'est pas plus difficile ! On se rassoit et on dit « Wowwww » !

Et c'est dingue, son cheval a stoppé net ! C'était une belle leçon de dressage... mais est-ce que mon Joncus l'avait bien écoutée, lui ?

— Est-ce que tous les chevaux savent ça ?

C'était plus fort que moi, j'avais les mains moites et le cœur battant. J'avais peur en titi...

— Certain, mon gars ! Pis ben d'autres choses aussi ! Fais-moi confiance, ça va bien aller ! Faites confiance à votre cheval aussi ! Il y a juste une chose que j'allais oublier ! Ne les laissez pas brouter nulle part ! Sinon, ça n'en finira plus. Ils ne devront manger que quand on prendra notre pose au petit lac.

Au petit lac seulement ? Ça promettait !

À la queue leu leu !

J'étais juste derrière Emma, qui elle-même était juste derrière la monitrice Cassy. Notre groupe était l'avant-dernier. Il n'en fallait pas plus pour me stresser davantage encore. Ma crainte que celui de Steeve et Normand se retrouve derrière moi s'était confirmée, maintenant. Et comme je n'étais pas capable de voir à 360 degrés, ça me stressait pas mal !

Il y avait quand même une chose de positive dans tout ça : j'étais étonné de l'habileté avec laquelle je maniais mon cheval. J'avais peur au début, bien sûr, mais là, je commençais à me sentir confiant.

Emma s'est retournée pour me faire son plus beau sourire et mon cœur a fondu.

— Ah ! C'est super, hein ? J'suis tellement contente que tu sois venu !

— Moi aussi, j'suis content !

Elle m'a fait un petit clin d'œil et s'est retournée à nouveau vers l'avant. J'ai regardé Édouardo qui, lui, se trouvait juste derrière moi. Il a levé la main comme s'il faisait du rodéo… alors qu'en fait, son cheval avait l'air de mon arrière-grand-mère ! Il pouvait toujours rêver ! Quant à Josée, elle était la dernière, et juste derrière elle se trouvait le fameux Steeve, dans toute sa splendeur.

J'ai concentré mon attention devant moi pour éviter de penser à lui. Le paysage autour du ranch était à couper le souffle, on en oubliait les poteaux et les fils électriques qui étaient visibles à certains endroits. Je n'étais pas habitué aux grands espaces comme ceux-ci. J'avais plus l'habitude de la pollution et des grosses voitures! J'ai donc pris quelques instants pour profiter de l'immensité et du calme qui m'entouraient.

Le ciel était d'un bleu comme je n'en avais pas vu souvent, et les nuages étaient bas. C'était un peu comme la nature à quelques kilomètres de la ville. Moins sauvage qu'au camp de Bear Town, mais quand même super agréable. Je me sentais bien, tout à coup. J'ai pris une grande inspiration et j'ai plissé les yeux, car il commençait à venter un peu. Nous étions au sommet d'une petite colline et c'était fantastique de voir le petit sentier qui filait vers le bas, avec les autres qui descendaient devant.

J'avais le cœur joyeux. Malgré tout ce qui se passait dans ma vie, les jumelles, les problèmes avec mes parents, mes bagarres à l'école. Je sentais qu'il y avait quelque chose de plus grand, de plus fort qui s'éveillait en moi. La nature m'apportait encore une fois ce sentiment de liberté intense. C'était très bon pour moi, je le sentais.

Cassy s'est retournée pour parler au groupe, et j'ai sursauté. Le paysage m'avait complètement absorbé.

— Alors, c'est beau, hein ?

Emma et les autres ont répondu Oui en chœur. Elle avait de la chance de travailler dans un endroit aussi merveilleux que celui-ci. J'avais peine à croire qu'on pouvait vivre jour après jour dans ce calme.

— Je trouve que c'est super méga beau !

Emma m'a souri et Édouardo s'est emballé.

— Ouais, c'est trop bien! J'pense que je vais dev'nir *farmer* !

En l'entendant, Josée a éclaté de rire.

— Toi ? J'ai hâte de voir ça, alors !

Après deux bonnes heures...

Nous sommes finalement arrivés dans un superbe coin où il y avait un lac. On aurait dit un vrai bijou ! L'eau miroitait comme des diamants, et le soleil était tellement chaud que j'avais envie de sauter en bas de mon cheval, de courir et de me lancer dans l'eau en bobettes ! Cassy m'a ramené les pieds sur terre.

— Bon, ok ! On va se rendre à côté des autres et ensuite, on va prendre une pause. Ce qui implique de descendre de son cheval sans se casser la margoulette et d'attacher le cheval à la clôture là-bas, ok ? Lui aussi doit en effet manger et se désaltérer un peu ! Si vous avez des questions, c'est le temps !

Je n'avais même pas remarqué que, derrière nous, les autres s'étaient un peu éloignés. Par contre, ça faisait bien mon affaire. Si je pouvais filer au bord du lac en douce avant que Steeve et Normand arrivent, ça serait génial ! Édouardo a remarqué mon air inquiet.

— Arrête donc de regarder en arrière ! Laisse-les faire ! Ils peuvent rien nous faire ici !

Je n'en étais pas aussi certain que lui. Mais bon, il avait raison, il fallait essayer de se détendre un peu.

— Voilà !

Emma était descendue comme une pro de son cheval. Elle avait vraiment des facilités pour les sports, elle. Il allait même peut-être falloir que je m'habitue à faire de l'équitation, parce qu'à voir son visage, c'était loin de lui déplaire !

Nous avons tous débarqué assez vite et bien de nos chevaux, et j'ai attaché le mien avec l'aide de Cassy à la clôture de perche qui avait été installée sur place. L'animatrice a fouillé dans les sacoches pour sortir nos lunchs. Puis, elle s'est redressée, l'air satisfaite, et nous a demandé de la suivre.

— Allons-y ! C'est par là, l'aire de repos ! On va rejoindre les autres ! Prenez juste ce qui vous appartient !

La distribution des repas s'est faite rapidement, et on est descendus vers le lac. Le terrain était parsemé de petites buttes de sable et de touffes d'herbes plus denses. Il y avait une odeur de terre ou de je ne savais trop quoi qui flottait dans l'air. Ça m'a rappelé Cerf argenté sur-le-champ.

Emma s'est retournée vers moi comme si elle m'avait entendu penser.

— Ça sent le camp, hein ?

Elle aussi l'avait senti. L'odeur était la même. Une odeur de nouveau, de risque et de changement.

— Ouais... je sais, ça fait spécial...

Édouardo a de son côté regardé Josée. Cette dernière a acquiescé. Je me suis alors rappelé qu'elle aussi était au camp. Elle était dans le groupe d'Édouardo, et elle avait sans doute d'autres souvenirs que les miens. Mais c'est drôle, elle aussi revenait instantanément au même endroit que nous par la pensée.

— C'est fou ce qu'une odeur peut vous rappeler, hein ?

Josée respirait longuement, les yeux fermés. Elle avait bien raison. Tout ce que j'avais vécu là-bas était comme imprégné en moi.

— Ouais… t'as raison !

Steeve et Normand venaient tout juste d'arriver en criant en haut de la butte. Ils avaient l'air excité comme ça n'était pas permis. Cassy s'est retournée.

— En tout cas… Ils sont chanceux de ne pas être dans mon groupe, ces deux-là ! Je leur ferais la passe du cochon qui tousse !

J'ai éclaté de rire. Cassy avait vraiment un langage douteux.

— Hey! Regardez ce que j'ai trouvé !

Emma s'était penchée pour ramasser une plume dans les hautes herbes.

— C'est une plume de corneille, on dirait, non ?

Cassy a acquiescé.

— Ça se peut fort bien, ma chère. Il y en a pas mal ici, à cause du lac.

Emma l'a regardée avec attention, puis s'est exclamée :

— Tiens, et si je l'envoyais à Corneille moqueuse ? Il tripperait, c'est certain !

Un sentiment de jalousie m'a parcouru instantanément. J'étais là pour elle, et voilà qu'elle pensait encore à lui. Il avait beau être à Québec, il avait encore sa place entre elle et moi ! Mon visage a dû laisser paraître mes émotions, parce qu'Emma m'a regardé d'un drôle d'air.

— Qu'est-ce que t'as ?

— Rien…

J'ai pointé sa plume.

— C'est plein de microbes, cette plume-là !

— Arrête donc ! Tu dis ça parce que j'ai parlé de Corneille !

Elle avait l'air fâchée. Il fallait donc que je trouve une solution pour la dérider. Je ne voulais pas la mettre en colère. C'était même la dernière chose que je voulais faire !

— Non ! Non... enfin, je ne sais pas... Bah ! C'est une bonne idée, va, si tu penses qu'il va aimer ça...

Elle a mis la plume dans la petite sacoche qu'elle portait en bandoulière.

— J'suis certaine qu'il va être content !

Le sujet était clos. Édouardo m'a serré le cou discrètement. Lorsque les filles se sont éloignées un peu devant nous, il a ajouté :

— Hey ! Fais attention, mon vieux ! Faudrait pas qu'tu sois jaloux !

Je n'avais pas vraiment envie de recevoir des conseils.

— Ben... disons que ça m'a fichu le cafard, d'entendre encore parler de lui ici. J'veux dire, j'fais plein d'efforts pour lui plaire, et elle a encore tout le temps le petit mot pour le placer dans la conversation...

Édouardo m'a tapé dans l'dos.

— Justement ! C'est toi qui es ici avec elle, non ?

— Je sais...

— Bon ! Alors, dis-moi où il est, le problème !

Je savais que j'en faisais peut-être un peu... mais je ne voulais pas la perdre. J'étais tellement en amour, c'était incroyable !

— Ouais… t'as raison. Y'en a pas, de problème.

— Bon !

Édouardo avait l'air du parrain dans le film du même nom. Il était penché vers moi, les cheveux dans la graisse et l'air d'un conseiller d'orientation. Il me faisait rire, sérieux comme ça. Il m'a pincé le bras.

— J'espère que tu lui as demandé, dans le bus !

— Oui, monsieur !

— Et ?

— Elle va m'accompagner à la danse !

— Alors, tu vois ? Arrête de t'en faire ! J'suis certain qu'elle va vouloir être ta blonde !

J'ai senti mes joues devenir rouge pompier. Au même moment, Emma s'est retournée.

— Allez, les gars ! Dépêchez-vous un peu !

J'espérais vraiment qu'elle n'avait rien vu.

Conversation au bord du lac

Je me suis assis au bord de l'eau avec mes amis en attendant que tout le monde soit arrivé. Cassy s'est levée et nous a laissés quelques secondes pour aller discuter avec les autres moniteurs. Nous étions légèrement à l'écart des autres, et je voyais un peu plus loin monsieur Jean qui prenait les présences en nous comptant comme des moutons. Même ici, il ne perdait pas ses bonnes vieilles habitudes.

Emma a enfourné une bouchée de son sandwich et dit, la bouche pleine :

— Pis ? Aimes-tu ça, finalement ?

Qu'est-ce qu'elle croyait ?

— Ben… la journée n'est pas finie, mais à date… ça me semble pas mal du tout !

Elle avait le sourire fendu jusqu'aux oreilles. Et moi aussi…

— J'suis content d'être avec toi, tu sais…

Ça y est, j'avais pris le risque de lui ouvrir un peu mon cœur !

— Moi aussi, Mady… j'suis bien avec toi…

Elle a semblé un peu gênée et a poursuivi, comme pour se reprendre devant les autres :

— Euh… les activités avec toi, c'est le fun ! T'es toujours partant pour tout faire !

— Merci…

Josée et Édouardo jasaient de leur côté comme deux petites pies, et Josée éclatait de rire toutes les cinq secondes. Comment est-ce qu'il faisait pour la faire rire comme ça ?

Eh bien, je n'arrivais pas à la cheville d'Édouardo en matière de drague ! J'avais du chemin à faire ! Moi, j'aurais simplement regardé Emma les yeux dans la graisse de bine… jusqu'à ce qu'elle me demande si j'étais correct. Je ne savais jamais ce que je devais lui dire…

— Qu'est-ce que tu as dans ton lunch ?

Elle venait de me ramener sur terre.

— Ben, un sandwich… enfin, quelque chose qui ressemble à ce que t'as !

— Hey, le rouquin !

Oh non ! C'était Steeve qui venait de me repérer dans le groupe.

— J'espère que t'es prêt pour cet après-midi, parce que ma monitrice a dit qu'on pourrait faire un peu de galop ! J'ai ben hâte de voir si ton cheval en sera capable ! Y'a l'air aussi faible que toé ! Y l'ont choisi pour aller avec toé, pour sûr ! Y'a l'air épais !

Pourquoi est ce qu'il fallait toujours qu'il arrive au mauvais moment ? J'étais en pleine conversation avec Emma et il venait encore me ridiculiser ! Il fallait que je me contrôle si je ne voulais pas encore avoir des ennuis.

— Écrase, s'te plaît !

Je ne savais pas trop comment réagir. Emma s'est redressée.

— Va donc niaiser ailleurs, ok ?

— Toé, ferme-la ! J't'ai pas causé !

Là, c'en était trop. Je me suis levé, prêt à lui remettre la monnaie de sa pièce. Mais Emma m'a imité et s'est interposée entre nous.

— Débarrasse, Steeve !

Édouardo venait de parler. Suffisamment fort pour alerter monsieur Jean, qui arrivait au pas de course.

— Bon sang ! Voulez-vous bien me dire ce qui se passe ici ?

J'allais encore avoir des problèmes. Monsieur Jean a regardé Emma et Édouardo.

— Qu'est-ce qui se passe ?

Emma s'est empressée de répondre, en montrant Steeve du doigt :

— C'est lui ! Il arrête pas de chercher la bagarre avec Mady !

Monsieur Jean a soupiré.

— Je vous avertis tous ! Si quoi que ce soit se passe ici, vous allez entendre parler de moi ! Est-ce clair ? Je n'ai pas envie de gérer vos guéguerres de cour d'école ici ! Alors, calmez-vous ! Et Steeve… suivez-moi tout de suite, jeune homme !

Celui-ci a obéi à contrecœur et en nous faisant son plus beau doigt d'honneur par la même occasion. Je le détestais vraiment. Il me semblait maintenant que j'avais mon sandwich pris en travers de la gorge !

Emma a grogné :

— Il me fait pogner les nerfs, celui-là !

C'était le moins qu'on puisse dire !

Retour à la grange... au galop !

J'avais peine à croire que je réussirais à faire du galop avec un cheval, mais Cassy insistait pour qu'on l'essaie un peu.

— Je ne veux pas que vous soyez trop nerveux ! Il faut être détendu et suivre son cheval pour que ça fonctionne bien. Il est certain que vous allez sautiller un peu, mais j'aimerais ça, qu'on l'essaie, ok ? Ça se peut que le groupe se divise un peu parce que les chevaux ne vont pas tous à la même vitesse. Mais ce n'est pas grave, on se retrouvera aussitôt après.

C'était bien ce qui m'inquiétait... Je n'avais pas du tout envie de me retrouver trop près des deux caves à l'arrière !

— Mady ! Regarde-moi, s'il te plaît !

Cassy voulait que je me concentre sur elle. Et Emma avait déjà commencé son galop. Je n'avais donc pas vraiment le choix de le faire moi aussi ! De toute façon, à ce rythme-là, on serait vite arrivés à la grange, alors il ne me restait pas beaucoup de temps à souffrir en selle. Mon derrière commençait d'ailleurs à être en compote et, quand j'ai entamé le galop, alors là, ça a été la déconfiture ! Il fallait vraiment être fait fort du muscle fessier pour pratiquer ce sport !

— J'arrive !

Je me suis retrouvé tout près d'Emma. Mon gros cheval en avait dedans, finalement. Il n'avait pas eu de difficulté à la rattraper.

— Hou-hou !

Emma avait les cheveux dans le vent, et son sourire en disait long sur son état. Elle flottait littéralement sur le dos de son cheval. On aurait dit qu'elle avait fait ça toute sa vie !

— T'es super douée !

J'avais à peine fini ma phrase que j'ai vu Steeve qui avançait à toute vitesse sur mon côté gauche. Cassy a levé le bras dans sa direction.

— Hey ! Attention, gamin !

Steeve avait voulu me faire peur, de toute évidence, mais là... son cheval semblait s'être un peu emballé. Cassy a crié :

— HiHa !

Elle a galopé vers nous le plus vite possible, mais il était trop tard. Le cheval de Steeve avait collé son museau dans le derrière du mien... et Joncus n'appréciait pas ça du tout ! Il a donc levé ses pattes arrière et a tenté de frapper le cheval de Steeve pour qu'il s'éloigne.

— Hey, décolle ton cheval ! Tu vois bien que le mien capote !

Les chevaux avaient heureusement ralenti leur rythme... mais j'avais quand même perdu le contrôle sur le mien. Je ballottais maintenant dessus comme une vulgaire marionnette.

— Tu peux pas arrêter ?

Steeve a fait non de la tête, l'air terrorisé. Cassy est arrivée en renfort, mais le cheval de Steeve s'est cabré au même instant. Voyant cela, Joncus a stoppé net, ce qui m'a propulsé dans les airs en avant. J'ai bien failli tomber et ai eu la peur de ma vie. Joncus s'est finalement tourné sur le côté.

— Hey ! Qu'est-ce qui se passe, ici ?

Cassy tentait t'attraper la bride du cheval de Steeve, qui hurlait comme un fou. On était complètement derrière les autres, maintenant. Et Emma était loin devant et ne s'était rendue compte de rien…

J'essayais de mon côté de maîtriser Joncus, mais c'était beaucoup trop difficile. Eh bien, moi qui n'avais pas du tout envie de venir à cette activité, j'étais servi !

— Attention !

Le cheval de Steeve était incontrôlable. Il était devenu complètement fou !

— Aïe !

Je n'ai rien senti sur le coup… mais ensuite, quand j'ai senti mon cœur battre dans ma jambe.

— M…

Un des sabots des pattes avant du cheval de Steeve venait tout juste de m'accrocher la jambe en retombant par terre !

Cassy a poussé un cri et d'autres moniteurs sont arrivés à la rescousse. Steeve était carrément sous le choc ! Il avait la bouche grande ouverte et l'air terrorisé sur son cheval aussi stupide que lui.

Après une bagarre de plusieurs minutes qui m'ont semblé des heures… tous les accompagnateurs ont enfin réussi à calmer le cheval de Steeve. Quant à Joncus, il tournait en rond, légèrement blessé au flanc. Il avait en effet reçu un coup de sabot, lui aussi, mais ce n'était rien comparé à ma jambe.

En fait, mon pantalon d'exercice s'était déchiré sous le choc et pendait sur le côté. J'avais vraiment mal et je n'osais pas trop bouger. Ni regarder.

— Ok ! Ramenez ce gamin ! Je m'occupe de lui !

Elle parlait de moi, évidemment. Steeve avait l'air hébété et, pour une fois, il n'a rien trouvé à redire. Mais bon, tout était de sa faute ! Il avait juste à ne pas venir me niaiser comme ça, c'était vraiment stupide de sa part ! Cette fois-ci, il m'avait blessé, mais avait aussi risqué de se blesser gravement lui-même… et je crois qu'il venait de le réaliser. Enfin, je rêvais peut-être en couleur !

— Comment ça va ? T'es blessé ?

J'étais furieux.

— Ben non ! J'ai juste la jambe en lambeaux à cause de ce maudit niaiseux-là !

Cassy a attrapé la bride de Joncus et l'a fait s'arrêter.

— Je vais descendre vérifier ça. Es-tu capable de bouger ta jambe ?

Je n'avais pas le courage de le faire, parce que j'avais littéralement le cœur dans la jambe. Chaque battement me donnait des chocs électriques.

— J'sais pas... Ça fait super mal !

Cassy a attrapé ma jambe.

— C'est normal... Tu viens de recevoir un coup de sabot d'un cheval de cinq cents kilos. Ah, que ça m'écœure ! Qu'est-ce qu'il avait tant à faire dans le derrière de ton cheval, ce nigaud ?

— Aïe !

Cassy a soupiré, puis a donné une claque sur une fesse de son cheval, qui a tout de suite démarré au galop.

— Qu'est-ce que tu fais ? Ton cheval, tu le laisses partir ?

Elle était complètement folle, cette fille ! Maintenant, elle était à pieds !

— Il connaît le chemin jusqu'à la grange. Je vais monter avec toi à la place !

J'étais très mal à l'aise… mais j'avoue que je ne pouvais pas faire grand-chose. Elle a sauté derrière moi et a attrapé les rênes.

— Tiens-toi après sa crinière ou au pommeau de la selle, comme tu veux ! On rentre. T'as la jambe pas mal amochée…

Oh non ! J'étais furieux. Comment est-ce que j'allais faire maintenant pour accompagner Emma ? C'était vraiment révoltant !

— Tu vas être bon pour une visite à l'hôpital, mon gars !

C'est vrai que j'avais super mal. Ma jambe était sûrement cassée, parce que dès que j'essayais de la bouger, c'était tellement douloureux que c'était impossible.

— T'en fais pas, on va te remettre sur pieds ! Ce sont des accidents qui peuvent arriver, malheureusement…

Le groupe est resté stupéfait lorsque j'ai fait mon entrée dans la grange avec Cassy. Monsieur Jean était dans tous ses états.

— Pauvre petit ! J'ai déjà téléphoné à l'ambulance ! On va s'occuper de toi !

Il m'a attrapé sous les aisselles pour me faire descendre de cheval. Cassy l'aidait du mieux qu'elle le pouvait. J'ai hurlé de douleur.

Ma jambe me faisait tellement souffrir que je n'étais même pas capable de bouger. J'étais rendu dans les bras de monsieur Jean… et je dois avouer que c'était plus que gênant. Bref, ce n'était pas vraiment l'endroit où je pensais finir ma journée !

Steeve s'était installé dans un coin avec Normand. Il avait les deux bras croisés et regardait le sol de la grange. Il allait devoir payer pour ce qu'il avait fait et il le savait. Édouardo et Emma se sont approchés en courant.

— Ça va ?

Emma était très inquiète. Il faut dire que ma jambe n'était pas très belle à regarder. Monsieur Jean a repoussé tout le monde.

— Ok ! Voulez-vous sortir et attendre à l'extérieur, s'il vous plaît ! Il n'y a rien à voir !

Je me suis retrouvé seul avec lui, Cassy et la directrice de l'écurie, Hélène. Cette dernière était vraiment sous le choc.

— Comment cela a-t-il pu se produire, Cassy ?

Ma monitrice regardait la blessure…

— Je ne sais pas… Le petit qui lui a foncé dessus avec son cheval, il l'a approché bien trop près ! Au galop, en plus. Les chevaux n'ont évidemment pas aimé ça… alors, il y en a un qui a rué, l'autre s'est cabré et, en retombant, le petit avait la jambe là… Qu'est-ce que vous voulez que je vous dise !

Hélène a soupiré et monsieur Jean a froncé les sourcils.

— Le petit vaurien ! Il voulait encore faire son comique !

Steeve allait passer au tordeur. Pour une fois, je n'étais coupable de rien et quelqu'un s'en rendait compte, ça me soulageait un peu.

— Bon… il va avoir affaire à moi en rentrant, celui-là !

Cassy a ajouté :

— C'est vrai qu'il n'a pas écouté les consignes. Alors, soit il a vraiment perdu le contrôle, soit il voulait faire peur à ce jeune… et ça a mal tourné.

Le jeune, c'était moi… comme d'habitude. J'étais encore au centre d'un problème… Mes parents n'allaient pas apprécier…

— Ah ! Enfin ! L'ambulance !

Monsieur Jean s'est redressé et a tenté de me relever… mais j'en étais incapable.

— Ouch ! Arrêtez, j'ai vraiment trop mal !

En fait, j'avais déjà la jambe bleue. Les ambulanciers sont arrivés avec une civière.

— Allez, mon gars… Il va falloir que je te dépose là-dessus, ok ?

Finalement, j'ai fini par être hissé sur la civière en question, et l'ambulancier m'a donné une petite tape sur l'épaule.

— Tu vas voir, tu t'en souviendras plus que le jour de tes noces !

Aïe ! À ce rythme-là, on était pas mal loin de la noce…. La danse était fichue pour moi ! J'en avais les larmes aux yeux.

Encore l'hôpital, toujours l'hôpital…

J'attendais avec impatience que ma mère et mon père arrivent. J'avais la jambe bien suspendue dans les airs, histoire de diminuer la pression sanguine. J'avais tellement mal qu'on m'avait mis sous sédatifs et j'avais la gorge très sèche. J'étais dans ma chambre d'hôpital depuis peu parce que j'avais été opéré. J'avais une fissure du fémur et je me suis cassé le tibia. Je pouvais donc bien râler un peu.

L'infirmière est arrivée au moment où j'essayais de prendre une gorgée d'eau.

— Attention ! Tu ne devrais pas trop boire, sinon ça va te donner des haut-le-cœur !

Ouais… elle avait sûrement raison, mais j'avais l'impression d'avoir du papier sablé dans la bouche. Comme je m'apprêtais à lui répondre, ma mère est entrée presque en courant dans la chambre, suivie de mon père.

— Mon Dieu ! Tu vas bien, mon chéri ?

La question classique… mais disons que j'avais plus l'air d'avoir passé la journée sous un camion que dans la prairie, les cheveux aux vents !

— Comme tu vois, maman, je vais très bien !

Puis, j'ai éclaté de rire… La situation était tellement ridicule.

— Le docteur nous a dit que tu pourrais sortir demain…

— Fantastique…

J'avais le moral à zéro. L'infirmière a quitté la pièce, et mes parents se sont assis de chaque côté de mon lit d'hôpital.

— On avait pensé organiser une fête pour se faire pardonner quand tu rentrerais ce soir…

Maman m'a tendu une petite boîte rouge avec un ruban dessus. Mon père a soupiré.

— Eh oui ! On avait organisé une fête avec tes copains... Tu devais revenir de l'équitation et trouver la maison pleine... Mais que veux-tu, hein ?

Mon père, Julie, les jumelles et ma mère dans le salon de ma mère ? Un instant ! Les miracles pouvaient donc exister ?

Dommage... Mais bon, il y avait quand même ce paquet pour me réconforter un peu. Je ne me suis donc pas fait prier pour prendre le cadeau joliment enveloppé que ma mère me tendait. J'étais juste déçu que la fête ait été annulée à cause d'un bête accident.

J'ai ouvert le cadeau et lorsque j'ai vu le cellulaire de mes rêves à l'intérieur, ça a été le bonheur !

— Yé ! Super ! Enfin, je vais pouvoir faire comme les autres !

Ma mère a regardé mon père avec un petit sourire en coin, et ce dernier s'est exclamé :

— Tu peux même écouter des mp3 dessus si tu veux ! Il fait plein de choses, le vendeur me l'a garanti ! Il est meilleur que le mien, c'est pour dire ! Je suis quasiment jaloux !

J'étais vraiment content, moi, au contraire !

— Il fonctionne ?

— Ouais, mon gars !

Mon père était tout content.

— Bon… Ta mère et moi, on va te laisser dormir et maman reviendra te chercher demain, ok ? Il y a peut-être quelqu'un à qui tu as envie de parler ?

Ma mère a râlé :

— Voyons ! Tu sais bien que dans les hôpitaux, on n'a pas le droit de parler au cellulaire !

Mon père m'a fait un petit clin d'œil. Il pensait sûrement à Emma.

— Allons… personne ne le saura !

Je savais vraiment de qui j'avais hérité mon petit côté rebelle !

Ah, l'amouououour!

Je n'avais pas beaucoup d'expérience avec les filles, mais je savais bien que la danse avec un gars qui avait la jambe dans le plâtre, ça n'était pas trop *winner*. Je n'avais pas trop osé en reparler avec Emma jusqu'à aujourd'hui, mais ça me démangeait.

Enfin, j'avais quand même réussi à aller à l'école malgré mon handicap temporaire. J'avais également survécu aux blagues de Steeve et sa bande, une bonne chose. Maintenant, l'heure était grave, parce que la danse, c'était ce soir ! Édouardo s'est approché de moi alors que j'essayais de mettre le restant de mon lunch à la poubelle. Je dis bien « essayais », car avec les béquilles dans les jambes, ça n'était pas évident du tout !

— Attends ! J'vais t'aider !

— Merci ! Ah, j'suis écœuré d'être pogné avec ça !

— Y'a de quoi ! Mais t'as pas ben ben l'choix, hein ?

— Non, pas trop, c'est vrai. Eh, j'y pense... Josée et toi, c'est du concret ou quoi ? Elle va t'accompagner ?

Édouardo a croisé les bras, fier de lui.

— Ouais, mon homme ! Pas mal, hein ?

Il était drôle.

— Ouais, t'as pas mal le tour... Moi, je sais pas... J'en ai pas reparlé à Emma et je me demande si elle va toujours vouloir. C'est pour ça que je lui ai rien dit encore... J'la comprendrais de vouloir y aller avec un autre gars...

— Tiens, justement....

Mon sang s'est glacé dans mes veines.

— Josée m'a dit tantôt qu'Emma était plus certaine d'aller à la danse ce soir... C'est ce que je venais vérifier avec toi. Est-ce que vous vous êtes chicanés ?

Je ne savais pas quoi dire, sur le coup.

— Non, pantoute ! Je...

Ça y est, elle ne voulait plus venir...

— Ah... Ben, faudrait que tu voies ça avec elle, alors !

Il me disait ça comme si de rien n'était !

— Ouais... comme tu dis.

Je me suis assis sur une chaise dans la cafétéria et je ne savais plus vraiment quoi faire. Édouardo l'a remarqué.

— Voyons, man… C'est pas si compliqué que ça. Tu veux que j'aille lui dire de venir te voir ? Ça va t'éviter de faire le tour de l'école pour la trouver !

C'est vrai que j'étais loin d'être rapide et que si je voulais lui parler avant que la cloche sonne, j'avais intérêt à bouger les fesses.

— Ouais, ce serait cool.

Édouardo est parti trouver Emma, me laissant seul avec mes pensées. Qu'est-ce que j'allais lui demander ? Est-ce que je pouvais lui dire que je voulais aller à la danse avec elle ? Ce serait vraiment niaiseux, j'avais la jambe dans le plâtre quasiment jusqu'à la hanche. Alors qu'est-ce que je pouvais bien faire ? Elle n'aurait pas de plaisir, de toute façon. C'était vraiment nul de ma part de lui demander de faire cet effort-là… Elle passerait la soirée à danser à côté de moi… pendant que moi… Ah, non ! C'était stupide !

Édouardo est vite revenu, suivi d'Emma. Elle était encore plus belle que ma dernière image d'elle, qui datait de trente minutes dans le cours de français… J'étais vraiment sous le charme, surtout que son nez avait repris la place qui lui revenait. Le docteur l'avait enfin débarrassée de son bandage… ce qui était loin d'être mon cas.

— Salut ! Comme ça, tu voulais me voir ?

Emma s'est assise près de moi et Édouardo est reparti comme il était arrivé.

— Bon… ben à tantôt, vous deux !

J'étais super mal à l'aise. Je ne savais pas comment j'allais m'y prendre pour lui dire ce que je pensais de la situation.

— Emma….

Elle a rejeté ses longs cheveux blonds dans son dos.

— Oui, c'est bien moi !

Un nuage de parfum a envahi mes narines. J'étais bien mal placé pour réfléchir…

— Je… je voulais te dire que… si tu voulais aller à la danse ce soir… je dois te dire… je…

Son visage est devenu plus sérieux.

— Quoi ?

— Ben… J'suis un peu gêné… mais… je…

— Qu'est-ce que t'as ? Tu veux pas venir ? Bah ! De toute façon, moi non plus !

Je ne m'attendais pas à ce qu'elle me dise ça !

— Mais je voulais te dire…

Elle ne m'a pas laissé pas le temps de finir ma phrase.

— T'inquiète ! Ça va être nul, de toute façon.

— Je crois pas, non...

Elle a arrêté d'argumenter, surprise.

— Je ne veux plus t'accompagner pour que tu puisses t'amuser !

Elle a froncé les sourcils.

— Tu veux dire quoi, là ?

— Je veux dire que je te laisse libre d'y aller avec qui tu veux... Je ne serai peut-être pas là...

Elle s'est fâchée.

— J'aurais dû m'en douter, te connaissant ! T'as jamais aimé dansé, alors...

Je lui ai montré mes béquilles.

— Danser avec ça ?

— Pfff !

Elle s'est levée et est partie sans se retourner, très en colère. La cloche a sonné presque en même temps. Il était trop tard pour la rattraper... Enfin, en temps normal, je n'aurais eu aucune difficulté à le faire, mais là, disons que c'était une autre histoire. Je me suis donc levé à mon tour, super triste, et je me suis dirigé vers le local où se donnait mon dernier cours.

La danse, j'y vais ou j'y vais pas ?

J'étais totalement déprimé, couché sur mon lit chez ma mère. J'avais pris ma douche et fait semblant d'être bien occupé à sécher mon plâtre et à me gratter avec un cintre. C'est vrai que je commençais à avoir l'habitude des cassures... d'abord le poignet... ensuite la jambe... et quoi d'autre ensuite ! J'étais d'une humeur noire. Le téléphone a sonné et ma mère a crié du salon que c'était pour moi.

— Oui, je prends !

— Hey, man ! Qu'est-ce tu fais ? Y'est sept heures ! T'es pas encore ici ?

C'était Édouardo.

— Ben... non, comme tu peux le voir, mon homme...

Il a soupiré sur la ligne et a failli me percer le tympan.

— Emma est ici, mon vieux ! Et elle est pas mal belle, à part de ça !

— Ouais, pis ?

J'avais une face de nul ... Je le savais parce que je voyais mon reflet dans le miroir de ma chambre. Je n'avais vraiment pas le regard d'un gars qui s'en va danser.

— Ben... elle m'a demandé si tu venais, quand même.

— Elle le sait, que je viens pas!

Édouardo perdait patience.

— Écoute-moi ben! Si tu viens pas tout de suite ici, j'te botte tu sais quoi!

Et il a raccroché sans me donner le temps de répondre. Mais qu'est-ce que j'allais bien faire là-bas? Emma n'avait rien à faire d'un handicapé dans ses jambes! C'était une danse! Édouardo l'avait oublié ou quoi?

Ma mère a crié, alors que je raccrochais le combiné:

— C'était qui?

— Édouardo!

— Tu ne vas pas à la danse?

Bon, une autre...

— J'sais pas, un point c'est tout!

Je me suis jeté de nouveau sur mon lit, les larmes aux yeux, et j'ai entendu ma mère monter à l'étage. Elle s'est penchée dans le cadre de porte.

— Veux-tu que je t'y emmène?

Je ne savais plus du tout quoi faire.

— Bah… non… enfin, oui, peut-être…

— Je t'attends en bas, alors…

Je n'avais pas le moral, mais je me suis quand même coiffé et j'ai enfilé ma plus belle chemise et ma veste en jean. Avec mes nouvelles chaussures de skate aux pieds – je m'étais équipé après avoir rencontré Fred – une *shut* de parfum et mon bracelet en cuir, je n'étais pas si mal, après tout. Bon, c'est sûr qu'avec le plâtre, le choix des pantalons était plus que limité, mais j'avais la chance qu'il fasse encore chaud dehors et que je ne sois pas obligé de mettre un jean… Mon plâtre était si gros que c'en était effrayant !

J'ai ensuite descendu les escaliers comme un prisonnier condamné. J'allais voir mes copains s'amuser et m'asseoir toute la soirée… belle soirée en perspective !

— T'es prêt ?

— Ouais.

Danse, danse !

Ma mère a garé sa voiture au bord du trottoir, en face de l'école.

— Je te rappelle que tu dois être rentré pour onze heures, plaisir ou pas, ok?

Elle m'a donné un billet de vingt dollars.

— Voilà... au cas où tu aurais besoin d'argent.... Mais ce n'est pas pour boire, tu m'entends?

Autant dire ça à un sourd! Je n'étais quand même pas plus fou qu'un autre. J'allais sûrement goûter à quelque chose si tout le monde en buvait... Mais bon, j'avais (pour l'instant) une tête sur les épaules.

— T'en fais pas, maman!

— Ok... Et pas de bagarre non plus, hein?

Franchement! J'étais mal placé pour me battre, monté de la sorte!

— Ok, maman! Arrête donc!

Elle a soupiré et m'a laissé sortir de la voiture.

— Bonne soirée... Je vais revenir te chercher à onze heures! Sois prêt!

Je lui ai fait un petit signe de la tête et j'ai filé vers l'école. En avant, les béquilles! Je me sentais vraiment ridicule. J'ai à peine eu le temps de penser qu'il vaudrait peut-être mieux retourner chez moi à pieds, que j'ai vu Édouardo qui sortait main dans la main avec Josée. Ils avaient l'air de drôlement s'amuser, ces deux-là.

Et là, juste derrière eux… je l'ai vue… Mon cœur a battu si fort que j'ai cru qu'il allait sortir de ma poitrine. Elle était tellement belle ! J'avais envie de me pincer pour y croire.

Elle m'a vu en même temps qu'Édouardo, qui s'est arrêté net et m'a crié :

— Hey ! Super, mon homme ! T'es venu, finalement !

Il s'est élancé vers moi et m'a fait l'accolade. J'ai failli tomber.

— Fais attention, mon vieux ! J'suis pas trop habile avec mes béquilles !

— Oh, scuse ! Viens, on va danser, nous autres ! Et en dedans, y'a des tables avec des chaises !

Justement… ça ne me tentait pas trop d'aller regarder les autres danser sur de la musique et s'amuser.

— Vas-y ! J'te rejoins !

— Ok !

Édouardo s'est tout de suite mêlé à la foule qui retournait à l'intérieur avec Josée, qui suivait péniblement derrière.

Quant à moi, j'ai marché jusqu'à elle…

— Je… j'suis venu quand même…

Elle m'a souri timidement.

— Moi aussi… j'espérais que tu viendrais…

— Ah…

Je devais être rouge comme une tomate, car je ne sentais plus mes joues.

— Tu danses pas ?

— Bof…

Elle avait les plus beaux yeux du monde… Elle les avait maquillés un peu, juste assez pour qu'on ne voie qu'eux.

— C'est beau, tes yeux…

— Merci…

Je crois bien que si elle avait pu me dire toi aussi, elle l'aurait fait. On entendait la musique qui résonnait à fond la caisse dans la cour d'école. Il y avait autant de jeunes dehors qu'à l'intérieur.

— Veux-tu rentrer ?

Elle a secoué la tête.

— Non… je trouve que la musique est trop forte…

— Ah, ok…

Je ne savais pas trop quoi faire, alors elle a décidé pour moi.

— On va aller là-bas, si tu veux… On va pouvoir parler, comme ça.

On est allés tous les deux jusqu'au mur qui séparait l'école de la rue, un peu plus loin des autres, près des arbres. La nuit était remplie d'étoiles et j'avais peine à croire que j'étais ici, avec elle.

— On sera tranquilles, ici…

On entendait encore la musique là où on était. C'était un *slow* à la mode, un peu R'n'B. Emma s'est approchée de moi.

— Tu veux danser ?

— Euh… danser ? Vraiment ?

— Bah, laisse faire…

Elle s'est collée contre moi et m'a enlacé… Je ne savais pas trop quoi faire, alors j'ai décidé de faire la même chose… Mon cœur battait à tout casser.

— On est bien, hein ?

Ah, pour être bien, j'étais bien ! J'étais d'ailleurs tellement bien que j'avais l'impression de vivre un rêve. Je la voyais tellement dans ma soupe, cette fille…

Elle m'a serré tout contre elle encore plus fort et a levé son visage vers moi. J'avais les étoiles dans le ciel comme décor de fond et les étoiles dans ses yeux juste devant moi. C'était plus beau que tout ce que j'avais jamais vu.

— Je t'aime, Mady…

Je ne lui ai pas répondu tout de suite. J'ai plutôt fermé les yeux, j'ai approché mes lèvres des siennes et je l'ai embrassée doucement.

— Moi aussi…

Dehors, la musique résonnait encore, mais pour l'instant, je ne l'entendais plus. C'était le plus beau soir de ma vie !

À suivre…

Mady

Titres de la collection

ISBN 978-2-89595-490-3

ISBN 978-2-89595-492-7

ISBN 978-2-89595-493-4

Imprimé sur Rolland Enviro100, contenant
100% de fibres recyclées postconsommatio
certifié Éco-Logo, Procédé sans chlore, FSC
Recyclé et fabriqué à partir d'énergie bioga